당신의 눈부심을 발견할게

감정어로 그리는 표정 에세이

당신의 눈부심을 발견할게

이옥토 강혜빈 한소리 김이인

Lovesome *Delight* *Sorrow* *Solitude*

타이피스트

| 차례 |

Chapter 1. *Lovesome* X 이옥토

Chapter 3. *Sorrow* X 한소리

Chapter 2. *Delight* X 강혜빈

Chapter 4. *Solitude* X 김이인

■ 일러두기

– 단행본과 잡지, 신문은 『 』, 산문과 시는 「 」로, 영화와 곡명, 작품명은 〈 〉로 표시했다.
– 맞춤법과 외래어 표기는 국립국어원 표준국어대사전을 우선적으로 따랐으며, 관용적인 표기와 동떨어진 경우 절충하여 실용적 표기에 따랐다.

Lovesome

이옥토

사진과 영상을 주 매체로 활동하고 있다. 시울과 물집, 그리고 대상의 대상됨 이전에 집중하며 작업하고 있으며, 저서로 『사랑하는 겉들』, 『처음 본 새를 만났을 때처럼』이 있다.

잠든 얼굴을 들여다보면서

오랜 기간 동안 사랑스러움에 대해 알지 못했다. 그건 그저 간지러운 소리였다. 사랑은 사랑이지, 사랑스러움은 뭐람. 이해하기 어려웠다. 누군가 또 유난스러운 표현을 만들어 낸 것이 분명하다고 생각했다. 성인이 되고서도 내 마음의 카테고리에 사랑스러움의 자리는 좀처럼 마련되지 않았다. 그러던 어느 날 마주하게 된 이 감정은 단순히 무언가를 귀여워하고 예뻐하는 것과는 살짝 달랐다. 보다 더 깊은 곳에서 올라오는 듯한 시큰함에 흉곽이 조여 드는 감각, 눈시울이 뜨끈해지는 느낌이 동반되어 일면 감격과 구분하기 어려웠다. 어떻게 사람을 대상으로 이런 찬란한 기분이 들 수 있는 걸까. 갓 구운 빵 냄새 같고, 햇살 좋은 날 흩날리는 비눗방울 같은, 빙그르르 돌아가는 선캐처에서 모래알처럼 부서져 나오는 빛의 색채들 같은, 그런 마음이 어떻게 나 같은 사람에게서 나올 수 있는 걸까. 타인의 빛이 내 안의 선한 것들만 골라 그 위로 내리쬐는 듯했다. 그래서 내가 쥔 모든 반짝임들을 내어 주고 싶어졌다, 그게 당위인 것처럼.

이 감각은 사랑했던 사람의 어떤 얼굴을 보게 된 때 열리기 시작했다. 이미 그와는 몇 번의 밤을 보냈고, 그날은 그저 일찍 잠에서 깼을 뿐이었다. 고른 숨소리가 방 안을 느슨하게 쥐고 있었고, 누군가의 잠든 얼굴을 그렇게 오래 들여다본 것은 처음이었다. 나를 온전히 믿고 긴장을 푼 얼굴. 표정의 더께가 걷힌 말간 얼굴. 자는 얼굴을 가장할 수 있는 사람은 없으니까. 이것은 무표정과는 다르다. 무표정은 이름과는 상반되게 의도적으로, 그리고 불수의적으로 지을 수 있는 표정의 한 갈래다. 반면 잠든 얼굴의 표정은 사람이 자기 의지로 지을 수 없는 표정이다. 그러니 이것은 무표정보다는 미표정未表情에 가

깝다. 나는 이렇게 경계 틈에 들떠 있는 것들을 사랑하지 않는 방법을 모른다. 내가 감히 측량할 수 없는 구간에 도사린, 그러나 명백히 존재해 그 자리를 공고히 지키는 것들에게서 눈을 뗄 수가 없다. 이 미표정에는 더 사랑스러운 구석이 있는데, 눈이 감겨 있기 때문에 마주 보지 못하고 오로지 목격당할 수밖에 없는 수동성이 있다는 점이다. 이 유약함은 상대가 그것을 내게 허락하는 순간 더욱 애틋해진다. 잠든 얼굴은 시선을 의식하지 못하기에 상대의 눈길에 자신을 바꾸지 않는다. 그렇게 해서 관찰자는 표정 밑에 잠긴 얼굴을 자세히 들여다보게 된다. 약간 상기된 뺨, 긴 속눈썹과 잠잠한 입술, 빛이 닿는 자리마다 희게 빛나는 솜털, 맥락이 없는, 존재 자체로의 얼굴을. 잠든 표정은 얼굴에서 표정을 씻어 내는구나. 그제야 나는 사랑스럽다는 말을 이해할 수 있었다. '사랑스러운 표정'이라는 게 있다면 내가 가장 먼저 떠올릴 표정은 잠든 사람의 얼굴이 될 것을 확신했다.

아기의 잠든 얼굴은 흔히 천사 같다는 묘사를 자아낸다. 아무도 천사를 본 적이 없는데도. 미지의 것 중 가장 고요히 아름다운 형상을 초대해 설명하는 마음은, 사랑스럽다는 말이 기실 사랑한다는 말, 사랑 외에는 방도가 없다는 고백과 다를 바 없음을 보여 준다. 그럼에도 사랑스럽다는 표현이 외따로 있는 것은 사랑을 배경에 두고 그중 유독 빛나는 몇몇 프레임에 찬사를 건네기 위함이다. 자신이 감지하는 사랑에 유독 순복하게 되는 때에. 그러니 사랑스럽다고 말할 때, 발화자는 사랑의 실감에 대해 토로하게 되는 것이다.

나는 보통 마지막에 잠드는 사람이다. 필연적으로 내가 사랑하는 이들은 내게 수면에 잠긴 얼굴을 드러낸다. 사랑스러운 표정을 짓고 만다. 잠든 사람의 얼굴을 들여다볼 때마다, 그 흐트러진 채로 잔잔한 표정을 응시할 때마다, 그를 만지지 않고는 견디기가 어려워진다. 귀 뒤로 머리칼을 넘겨 주거나, 뺨을 엄지로 쓸거나, 코끝을 가볍게 누르거나 한다. 피곤하게 잠든 이 깨울까 걱정이 되는 날에는 그저 그를 응시하며 속으로 몇 번이고 사랑을 이야기한다. 잠든 얼굴은 그 어떤 호의에도 악의에도 관심이 없지만, 그렇기에 그 앞에서 나는 진실해진다. 이 사랑스러운 표정에는 거울처럼 내 마음이 비친다. 나는 나를 좀처럼 좋아하지 못하지만, 그의 사랑스러움을 발견하는 나는 제법 자랑스러워서, 그 얼굴 앞에서 내 마음의 매무새를 고쳐 묶는다. 단단히, 어떤 세월도 이 매듭을 헐겁게 만들지 못하도록.

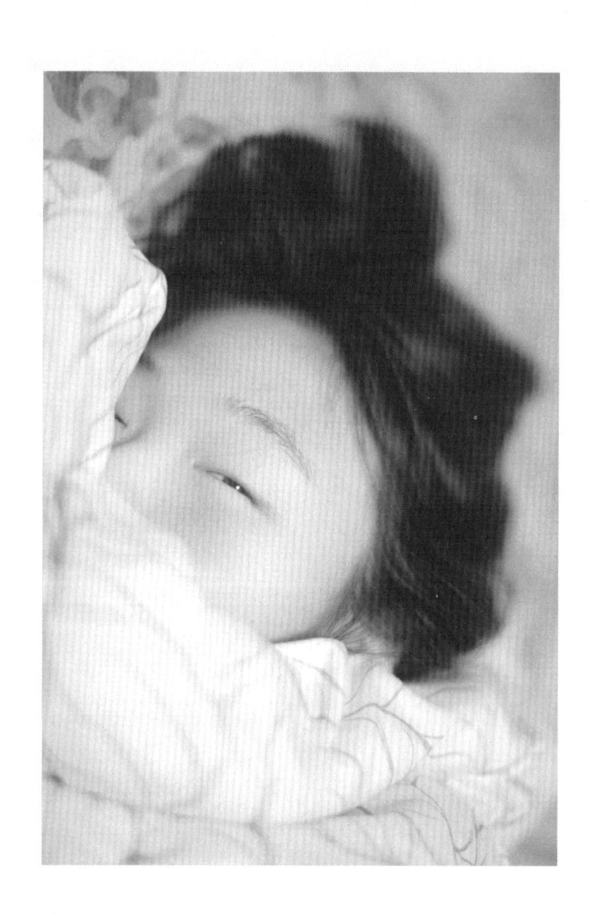

기도해

무신론자가 기도하게 될 때 짓는 표정은 사랑스럽다. 보통 사람의 힘으로 어쩔 도리가 없는 일 앞에서 거머쥘 것이 자신의 빈손밖에 없을 때에 그 두 손을 맞대게 되므로. 손이 없는 자는 팔을 모아, 팔이 없는 자는 온몸을 구부린다. 자신의 부족함, 나약함을 온전히 인정하는 이 행위는 자연스레 얼굴에서 간절함만 남긴 채로 다른 가면들을 벗겨 버린다. 체면, 사회적 지위, 특정 나이에 요구되는 형상 같은 것들을. 어떤 이들은 눈물을 흘리거나 절규하고, 어떤 이는 결연한 눈을 하거나 차마 눈을 뜨지도 못한 채 침묵한다. 발가벗겨진 얼굴들은 마치 피부가 점막으로만 이루어진 듯이 취약하고 민감하다. 그 연하고 짓무른 표정을 나는 사랑스럽게 여긴다. 신을 믿는 자의 기도는 일말의 희망을 늘 간직하고 있지만, 신을 생각하지 않는 이에게 기도는 기적을 바라는 일만 남았다는 사실에 대한 처절한 긍정과 다를 바 없다. 그럼에도 한 걸음 나아가 소망을 솔직하게 내어놓는 자세. 사람의 몸으로 할 수 있는 것을 전부 끝내고도, 마음의 기력을 끝까지 쏟아 내어 어디에 닿을지 알 수도 없는 바람을 간절히 띄우는 행위. 이러한 모습들을 체현하는 얼굴에 깃든 표정을 사랑스럽다 여기지 않을 수 있을까. 그 맑고 거짓 없는 면과 선들을.

나는 이제 더는 신을 믿지 않는다. 정확히는 신이 있다 한들 그가 나를 사랑하는 신이라고는 생각하지 않는다. 그렇지만 신 없이 기도하는 이들의 표정을 보고 있노라면 그들에게 그들만의 신이 태어나 주길 바라게 된다. 그렇게 태어난 신이 그들을 사랑하기를. 사랑 이외의 방법을 모르는 신이기를. 내 식견으로 어림할 수 있는 가장 초월적인 것이 사랑이기에, 신이라면 사랑이 아닐 수 없다고, 사랑이 아닌 신은 있어도 없는 것과 같다고. 그러니 정말로 어디선가 신이 태어나는 중이라면 반드시 사랑이 되어 홀로 기도하는 이들에게 가길 바란다. 사랑은 응당 그래야 하니까.

이런 불확실성 말고, 그들 앞에는 내가 서 있다. 만질 수 있는 사람인 내가 있다. 그들이 안으로든 밖으로든 떨며 몸을 웅크릴 때에, 안아 줄 수 있는 뼈와 살을 가진 내가 있다. 나는 그들의 무른 표정이 내 시선으로 인해 다치지 않게 어깨 너머로 얼굴을 교차해 등을 쓸어 주곤 한다. 마음껏 유약할 수 있도록. 품을 허락하지 않는 이에게는 손을, 손을 밀어내는 이에는 곁을 준다. 곁마저 감당하기 어려워하는 이에게는 먼 곳에서 그의 기도에 기도를 보탠다. 그렇게 여러 겹으로 보태진 기도가 두꺼운 함성이 되면 잠든 기적을 깨울 수 있을지도 모른다.

숱한 바람이 결렬된다. 오래 품어도, 간절히 빌어도, 바람이란 보통 이루어지지 않는다는 걸 우리는 안다. 어쩌다 성취되는 바람은 그저 우연일지도 모른다. 그럼에도 우리는 바라는 것을 멈추지 못한다. 유한하면서 영원을 상상하는 버릇처럼. 어쩌면 삶은 바람으로 가득 차 부푸는 걸까. 그래서 모든 것을 내려놓고 기도하는 얼굴은 그토록 생생할 수밖에 없는 걸까. 사람으로 알 수 있는 것, 할 수 있는 것은 언제나 한정되어 있다. 하지만 그 한정 안에는 신과 같은 사랑도 남아, 어떤 순간 우리가 우리를 초월할 수 있게 한다. 그러니 모든 슬픔과 어려움 속에서도 기어코 사랑받고 사랑할 수밖에. 눈을 맞추고 표정을 살피고 사랑스러워할 수밖에.

이 표정을 지킬 수 있는 힘을 달라고

기다란 창을 통해 맑은 햇빛이 들어왔다. 나는 산 지 얼마 안 된 카메라를 들고 있었고, 외할머니와 막내 동생은 그들 위에 끼얹어진 빛처럼 눈부시게 웃는 중이었다. 그때 사진을 찍지 않았더라면 그 장면을 이렇게 그리워할 일도 없었겠지만, 누군가의 표정을 보면서 무언가를 다짐하는 마음도 알지 못했을 것이다. 영화나 애니메이션에서 일터 책상에 놓여 있는 가족사진을 보는 연출에도 이입하지 못했을 것이다. 내 마음에 그 장면이 켜질 때마다 환하게 슬퍼진다. 사진의 두 사람은 도무지 참을 도리가 없다는 듯이, 정말 터뜨려진 듯이 웃는다. 더없이 사랑스럽고 다시는 만날 수 없는 표정. 외할머니는 겨울에 돌아가셨다. 내가 가장 사랑하는 계절에.

사람이 사랑스러워하는 표정은 제각기 다르겠지만, 어떤 사랑스러움을 마주한 이의 뇌리에 '이 모습을 지켜주고 싶다'는 생각이 스치는 것은 동일할 것이다. 세상의 온갖 불온한 것들에게서, 거칠고 험한 세월의 질감에게서, 어떤 때에는 나에게서조차. 다양한 사랑스러운 표정 중에서 맑게 터지는 웃음이 내 마음에서 이 생각을 가장 선연히 피어오르게 한다. 아기의 배냇짓, 꽃을 안아 들고 기뻐하는 얼굴, 멀리서 나를 발견하고 일순 밝아지는 낯빛, 수줍어하며 살포시 웃는 것, 전부 따듯한 색의 빛을 낸다. 그 빛이 닿은 자리 곁에는 반대색의 파르스름한 그늘이 생긴다. 이 순간이 영원하지 않을 거란 사실, 괴로움이나 슬픔으로 이 빛이 일그러질 때가 올 거란 예감, 기필코 결별의 때가 올 거란 확신 같은 것들이 그 그늘의 구성물이다. 그늘의 서늘함은 세월이 지날수록 체감되는 정도가 강해진다. 끝에 대한 감각이 손에 점점 잡히기 시작하기 때문이다. 이에 따라 어떤 이는 체념을 선

택하기도 하지만 나는 언제나 빛을 쥐는 것을 포기할 수 없었다. 내 마음이 무너져 있을 때에도 나를 일으키고 마는 환한 표정들을 사랑하지 않고는 견딜 수 없었다. 사진을 찍었을 당시 외할머니는 치매 초기 판정을 받은 상태였다. 나는 외할머니와 거의 붙어 있었다. 말없이 마른 옷가지를 개킬 때에도, 성경을 읽을 때에도, 식전 기도를 할 때에도. 마치 그 질환을 내가 내쫓을 수 있는 것인 양 그랬다. 불안했다. 요동치는 우울감이 계속 마음을 일렁이게 했고, 시간이 지날수록 그를 무언가에게 계속 빼앗기는 것 같아 두려웠다. 그러나 그 순간만큼은, 환히 웃는 그와 동생을 프레임에 담았던 그때만큼은, 왠지 모르게 모든 것이 옳은 방향으로 향하는 기분이 들었다. 그저 이 웃음을 내가 지켜내야지 하는 결심 외에는 아무것도 중요하게 느껴지지 않았다. 착각이었다. 그 찰나가 지나간 후에 바로 착각임을 알았다. 나는 내 마음을 멍하게 쳐다봤다. 화려한 불꽃놀이가 끝난 후 뿌옇게 어지럽혀진 밤하늘을 올려다보는 사람처럼. 그때는 혼란스러웠지만 지금은 안다. 그런 착각이라도 있어야 했다고. 한순간의 반짝임이라도 목격해야 언제고 마음을 환하게 켤 수 있다고.

아직도 그 사진을 보면 나는 울어야 할지 웃어야 할지 모르는 사람이 된다. 소중하고 아름답고 그립고 서럽고 아프고 사랑스러워서. 사람에게 시간은 필패의 장르지만, 떠올릴수록 날 강하게 하는 표정들은 어김없이 날 약하게 만들 테지만, 그럼에도 포기하겠다고 선언하지 못하는 것은 실패하면서도 나아가는 것이 사람의 일이라고 생각하기 때문이다. 끝이 있음을 알면서도 약속들을 만들고, 애정의 말을 되뇌고, 증거들을 남기는 이 어리석음에게 눈부신 구석이 있다고 여기기 때문이다. 나를 둘러싼 사랑 앞에서 나는 영영 그러할 것이다.

사랑스러움에 필연적으로
깃드는 서글픔을

사랑스러운 표정을 가만히 보다 보면 문득 울컥할 때가 있다. 지금의 소중함에 너무나 감사해서, 그리고 소중함에 낮게 서려 있는 서글픔 때문에. 그것은 사랑이 마음을 누른 자리에 남는 자국이다. 푹신한 의자에 앉았다 일어나면 그 무게만큼 패인 모양처럼. 아무런 이해 없이도 우리에게 작용하는 중력과 같이 이 서글픔은 당연하고 자연스럽다. 그 당연을 펼치면 들어 있는 것들. 인연이 되기까지의 우연들, 사건들로 이어진 여정, 사랑의 기억, 사람의 유한함. 그리고 당신과 나의 살아 있음이 마냥 순탄하지 않았기에. 우리의 곡절이 만든 음절이 여기 음악으로 울리고 있기에. 팡 하고 맑게 터지는 웃음을 마주하면서도 나는 서글픔을 피할 도리가 없다. 여지없이 가진 품을 모두 벌려 사랑과 함께 껴안는 수밖에.

감정의 극단에는 물기가 있어서 우리는 분노나 두려움, 슬픔뿐만 아니라 사랑스러움 앞에서도 눈가를 메말릴 수 없다. 해를 오래 바라본 사람처럼. 감당할 수 없는 빛을 감히 참아 보려다 실패한다. 오늘도 마주하는 당신의 사랑스러운 표정 앞에서 나는 기꺼이 실패할 것이다. 눈을 감아도 눈꺼풀 안에 남는 빛의 잔상. 그와 같이 당신이 고개를 돌린 때에도 당신의 표정은 내게 거듭 새겨지고 있다. 이 사랑의 자국들이 쉼 없이 겹쳐져 무늬가 되어 간다. 아름답고 서글프게, 언제나 그랬듯이.

감내할 용기가 필요하다고

나는 책임을 중요하게 생각하는 사람이다. 책임을 지기 싫어한다는 말이기도 하다. 그럼에도 책임을 지고서 어떤 일을 해내고 마는 것은, 책임에 대한 부담을 빨리 덜어 내고 싶은 욕망이 크기 때문이다. 그러나 관계에 있어서 책임은 해결할 무언가가 아니라 지속성을 띤 상태가 된다. 감정과 시간을 더한 만큼의 무게를 가진 모래주머니가 돼서 마음 여기저기에 턱턱 걸리고 만다. 오래전의 나는 그 무게를 견디지 못해 책임이 없는 관계만을 지향했다. 나를 떠나도 그만, 내가 떠나도 그만인. 함께인 때에도 언제나 끝을 고려했고 이를 눈치챈 상대가 운 적도 있었다. 자신을 사랑하지 않느냐고, 어떻게 멀어지는 걸 염두에 둘 수가 있냐고 했다. 무엇이 어떻게 될지도 모르면서, 당장 내일 일도 장담하지 못하면서. 세상모르고 천진하다 생각했다. 모든 것이 불안하던 시절이었고 손에 잡히는 무어라도 예상 안으로 넣어 두고 싶었기 때문에 더욱 그랬다. 예상치 못한 충격을 감당할 자신이 없었다. 이후의 그런 종류의 대화가 생길 때마다 말을 적당히 돌리거나 속내와는 다른 살가운 소리로 수습하곤 했다. 땅바닥이나 길모퉁이, 허공 어딘가로 눈을 돌리면서. 많은 사람들이 사랑에 수반되는 책임들을 견디는 데에는 분명 이유가 있을 것이라고 생각했지만 그걸 적극적으로 알고 싶지는 않았다.

많은 시간이 지나 나를 책임져 준 친구들 덕에 어렴풋이 그 윤곽을 더듬을 수 있게 됐고, 이후 마음을 담아 사랑하는 일에 대한 용기가 자랐지만, 막연한 두려움은 여전히 남아 있었다. 책임이 주는 더 큰 보상이 있음을 구체적으로 알게 된 건 친한 언니가 고양이를 키우기 시작했을 때부터였다. 반려동물을 키우는 데에는 많은 것들이 필요하다. 그를 위한 환경을 조성해야 하고, 돌봄을 위한 시간을 내야 하고, 오랜 시간 곁을 비우는 일이 적어야 하며, 질병의 신호를 알아채기 어렵기 때문에 항상 자세히 살펴야 하는 등, 드는 품이 크다. 사람 간의 사랑보다 이 사랑에는 유독 책임의 비중이 높다. 이 작은 생물은 반려인에게 자신의 생을 기대어 살아가기 때문에. 고양이의 이런저런 행동이나 아픔으로 힘들어하는 언니를 보면서 나는 무언가를 키우거나 돌보는 일은 영영 못할 것 같다는 생각을 했다. 무언가에 얽매인다니, 어감만으로도 답답해졌다. 그러나 언니를 포함한 모든 동물을 키우는 사람들은 하나같이 동물들이 받은 사랑보다 더 큰 사랑을 준다고 말했다. 힘겨운 때에도 이 아이와 함께

하기 위해 삶을 붙들게 되고, 뜻밖의 귀여운 행동에 웃게 되고, 이 친구를 챙기기 위해서라도 일어나 하루를 시작하게 된다는 것이다. 얽매임이라는 것, 책임이라는 것은 어쩌면 삶에 사람을 묶어 주는 튼튼한 리본일지도 모른다는 생각이 들었다. 구속이라고 여겼던 것과 달리 오히려 원동력이 되어 주는. 그리고 그 책임이 있어야만 더 듬을 수 있는 사랑의 깊이와 너비가 있다는 것도 알게 됐다. 그런 부피로 사랑할 때 마주하는 사랑스러움은 세밀하고 다양해진다. 이상한 자세로 자는 모습도, 가끔 혀를 넣는 것을 까먹고 그저 물고만 있는 엉성한 얼굴도, 새로운 장난감으로 신나게 놀아 빨개진 코도, 전부 사랑스러움으로 변모하기 때문에. 핸드폰의 앨범 한가득 비슷한 사진으로 가득 차도 어느 것 하나 지우지를 못하고, 귀찮아하는 친구들에게 귀엽지 않느냐고 자꾸 보여 주게 되는 것이다. 이 마음을 나는 영영 모르리라 생각했지만, 사랑하는 이들의 웃긴 모습이 담긴 사진들이 차곡차곡 늘어 가는 것을 보면 내 손목에, 발목에 다양한 색의 리본이 달리는 듯하다. 예쁜 모습만 열심히 찍던 시간을 지나 어떤 모습이든 그저 사랑스럽고 귀해진다. 그가 그대로 있어 주는 것. 이렇게 살아 내 앞에서 여러 감정을 보여 주는 것. 그것이 드러나는 얼굴. 물감처럼 번지는 모든 표정들. 나는 고민하다 '여기서부터 저기까지 다 주세요' 하는 사람이 된다. 어느 것 하나만 고를 수 있을 리가. 사랑 앞에서 그럴 수 있을 리가. 사랑을, 그리고 그에 따른 책임을 감내하고자 하는 사람 앞에서는 대상이 짓는 어떤 표정도 전부 사랑스러운 표정이 된다. 모래주머니라 생각했던 책임이 어느새 내 마음의 근력을 키워 나를 나아가게 하는 것이다.

'20 3 1

이제 내게도 책임지고픈 얼굴들이 있다. 아침에 일어나 잘 잤는지 물으면, 화장실만 다녀와서 좀 더 잘 거라며 허술한 표정으로 답하는 친구. 엊그제 만났는데도 보고 싶었다며 울상을 짓는 언니. 알쏭달쏭한 유머를 던지고 눈이 실금이 될 정도로 웃는, 이제 한 아이의 엄마가 된 친구. 심드렁한 것처럼 보이지만 사실 나를 엄청 반기고 있는 키가 큰 친구. 꼭 지켜 나가고 싶은 다양한 사랑스러움이 내 앞에 놓인다. 기합 소리도 없이 마음의 한 곳에 책임을 들쳐 멘다. 이 무게만큼, 생이라는 지면을 누르는 발자국이 깊어진다. 이곳을 뜨려는 마음, 다 놓고 떠나고픈 마음이 무색할 정도의 선명한 음각으로 내가 시간에 새겨지고 있다.

더없이 솔직해서 취약한

하지만 그렇기에 강인한

내가 사랑스럽다 여기는 표정은 다음과 같이 다양하다: 맛없는 음식을 먹었을 때의 찡그린 콧잔등, 어이없어서 벌어진 턱, 약 올리려 할 때 올라가는 광대, 장난에 토라져 비죽 마중 나온 입술, 갑자기 나타났을 때 놀라며 반기는 입꼬리, 무얼 먹을지 진지하게 고민하며 찌푸려진 미간, 웃음을 참느라 길어진 인중, 얼굴에 우유 수염 같은 음식 자국이 있는 채로 뭔가를 열심히 설명하느라 씰룩거리는 뺨, 내게 닥친 슬픈 일에 자신의 일인 양 속상해하는 눈가, 획기적인 웃음거리를 떠올리고 반짝이는 눈빛, 이름을 부르면 응, 하고 날 보는 똑바른 눈동자 등등. 이 각양각색의 표정들에 일관적으로 적용되는 법칙

이 있다면 그것은 솔직함이다. 자신의 마음을 어떠한 방어막 없이 드러내는 방식의 솔직함. 때로는 어리석기도 하고 순진하기도 한, 다음 수를 떠올리지 않는 표정이다. 그만큼 이 표정은 상처 받기 쉬운 맨살과 같아서 믿는 상대가 아닌 이에게는 잘 드러나지 않는다. 바깥에서 격식 있는 사람이 자신의 아이 또는 반려동물을 맞이할 때 나오는 살갑고 허술한 모습을 상상해 보자. 회사에서 잘 웃고 일을 끝냈지만 집에 돌아와 그 웃음기를 거두고 동거인에게 '오늘 정말 힘들었어' 하며 안기는 것도 어렵지 않게 떠올려볼 수 있다. 사회에서 적응하고 살아남기 위해 부단히 만들어 낸 외양을 칭찬받는 것도 기분 좋은 일이지만, 있는 그대로의 나, 그렇다고 밑도 끝도 없이 무례한 모습 말고, 여러 이름표를 떼어 낸 내 모습을 사랑받는 것은 보다 어렵고 아름다운 체험이다. 노력이 완전히 없어도 되는 관계는 존재하지 않지만, 내 값어치가 아닌 나라는 사람으로 사랑받을 때에만 드러낼 수 있는 취약함이기 때문이다. 여타 다른 동물들이 그렇듯 자신의 약한 모습을 보이는 행위는 상대를 믿고 있음을 확실히 보여 주는 증거다. 강아지가 자신의 몸을 뒤집을 때 드러나는 분홍색 배를 우리가 부드럽게 쓰다듬는 것처럼, 우리는 갑옷을 내려 둔 서로의 표정을 눈으로 매만지며 사랑스럽다 명명한다.

마음을 열어 표정을 내어 줬을 때 상처를 받은 적도, 내 진심이 휴지 조각처럼 우스워진 순간도 있었지만, 진심을 꺼내지 않고 사랑하는 방법은 없는 듯하다. 적어도 나는 그 외의 수를 모른다. 어쩌면 이렇게 상처 받을 가능성을 감수하는 것이 사랑의 일부인가 가늠해 볼 따름이다. 어떤 순간에는 나보다 나를 잘 알아채는 이들이 내가 무리하고 있음을 일러 줄 때가 있고, 나 또한 친구의 웃는 낯 속에서 수상한 기색을 감지하고 '너 무슨 일 있어?' 묻곤 한다. 위험한 곳에 서 있어도 위태로운 줄 모를 때나, 알고도 자기 자신을 저버리고 싶을 때, 서로의 약함을 마주했던 이들이 급하게 어깨를 붙잡아 주는 것이다. 비록 각자의 가장 안쪽은 연약하기 그지없지만, 그 연약의 연대가 만드는 관계의 힘은 강하다. 혼자 꼭 쥔 주먹보다 우리가 함께 끼운 깍지가 더욱 단단하게 느껴지듯이.

일반적으로 특정 감정에 수반된다 여겨지는 표정들이 있다. 이런 표정들은 사회 내 개인들 간의 비언어적 소통의 일부가 된다. 스콧 맥클라우드의 『만화의 창작(Making Comics)』에는 인터넷을 하는 사람이라면 누구나 한 번쯤 봤을 법한 유명한 삽화가 들어가 있는데, 이 삽화에는 기쁨, 슬픔, 놀라움, 두려움, 그 외의 여러 감정을 담은 얼굴들이 한가득 그려져 있다. 기쁨의 표정과 놀람의 표정이 합쳐지면 경이의 표정이 되는 등, 혼합된 감정이 어떻게 표정으로 드러나는지 또한 상세히 묘사되어 표정을 공부하고자 하는 이에게 적절한 가이드라인을 제시한다. 그렇다면 '사랑스러운 표정'이란 무엇인가? 사람이 사랑스러운 것을 '볼 때' 짓게 되는 표정에는 어느 정도 일관성이 있지만, 내가 경험한 사랑스러운 표정은 대상마다 너무 달랐다. 결정적으로 내가 담당하게 된 '사랑스러운 표정'은 다른 표정과는 명백히 다른 요소가 있었다. 보통 얼굴의 주체인 이의 감정을 표현하는 표정과는 달리, 사랑스러운 표정은 그 표정을 바라보는 사람이 정의하는 것이기 때문이다. 평균적으로 사랑스럽다 여겨지는 표정이 없는 것은 아니다. 그것은 대체로 자신보다 연약하거나 해를 끼치지 못하는 상대가 보이는 무장 해제된 호의적인 표정을 뜻한다. 그러나 결정적으로 사랑스러움은 발견하는 이 없이는 성립하지 않는다. 홀로, 절로 사랑스러워지는 사람은 없다. 내 눈에 사랑을 거울로 들고 있을 때, 눈동자에 맺히는 상대의 얼굴이 사랑스러워지는 것이다. 원수가 어떤 표정을 짓고 있을 때 '기뻐 보인다' '슬퍼 보인다' 등의 감정 상태에 대한 판단은 내릴 수 있어도 결코 '사랑스럽다'고 여기기는 불가능한 것과 같다. 으레 사랑스럽다 판단될 만한 표정을 원수가 짓는다 해도 외려 역겨움과 경멸이 치고 올라온다. 그 사람이 상대에게 새긴 사건과 시간, 즉 맥락이 그 면상을 가증스럽게 만들기 때문이다. 사랑스러움은 당사자의 기분이 아닌 그가 자아내는 분위기의 일종이다. "너 기분 어때?"라고 물었을 때 "나? 사랑스러워." 라는 답변이 돌아오면 대다수의 경우 당혹을 감출 수 없을 것이다. 제법 자존감이 높은 녀석인가 하는 의심이나, "그건 기분이 아니잖아"라는 반박을 할 수도 있겠다. 이와 같이 사랑스러움은 당사자의 기분이라 하기엔 어색하다. 사랑스러움이 분위기에 포함된다면, 분위기는 무엇인가? 분위기는 사람이 지닌 맥락에서 나오는 기운이다. 혹자의 압도적인 분위기는 아우라로 변모해 일방향에 가깝게 작용하지만, 통상적으로는 내가 아는 대상의 정보, 대상에게 있는 나의 정보, 그리고 대상과 나의 이해관계가 상호작용하면서 분위기가 형성된다. 많은 연애 예능에서와 같이 대상의 데이터에 따라 대상의 분위기도 다르게 보이는 것이다. 사랑하는 상태에서 상대를 오래 알고 이해할수록 갖가지 표정이 사랑스러운 표정으로 포섭된다. 누군가에게 보여 주면 "그냥 별 감정이 없어 보이

는데요?"라는 대답이 나오는 표정도 그 사람을 잘 아는 이가 보면 "배고파서 짜증을 내고 있네요." 하고 알아차릴 수 있기도 하다. 이와 같이, 사랑스러운 표정은 누군가가 짓는 것이라기보다 사랑이란 현미경으로 발견하는 형상이다.

사랑스러운 표정의 또 다른 특성은 관찰자로 하여금 자신의 마음을 재확인시킨다는 점이다. 드라마에서 인물의 사랑스러움을 연출하고자 할 때 쓰이는 몇 가지 클리셰가 있다. 등을 보이며 걸어가고 있는 이의 이름을 부르면 환히 웃으며 돌아본다든지, 무표정하게 어딘가에 기대어 서 있는 인물이 상대를 마주하고 얼굴이 풀어지는 모습 같은. 이럴 때 드라마 안의 상대역은 살짝 감탄하며 멈칫한다. 상대의 사랑스러움에 잠시 압도되는 동시에 자신이 그를 사랑스러워하는 것을 다시금 깨닫는 것이다. 사람이 언제나 자신의 마음을 정확하고 객관적으로 알 수 있었다면 심리 상담의 수요가 적었을지도 모른다. 감정을 느끼는 것과 그 감정이 무엇인지 아는 것은 별개의 일이다. 화를 내면서도 화를 내고 있는 줄 모르는 사람, 깊은 우울에 시달리면서도 자신의 우울을 인지하지 못하는 사람, 사랑하면서도 그걸 깨닫지 못하는 사람을 찾아내기는 어렵지 않다. 누구나 한 번쯤은 그랬을 테고, 나도 그들 중 하나였다. 하지만 누군가의 표정을 사랑스럽다 여기는 순간만큼은 자신의 사랑을 알아챌 수밖에 없다. 별다른 감정의 기색을 비치지 않고 앞머리를 손으로 아무렇게나 쓸어 올리는 모습이, 가만히 몰두하며 흘러내린 머리카락을 귀 뒤로 슬쩍 넘기는 장면이, 오늘 입은 옷이 어떤지 물어보는 말간 얼굴이 특별해 보이고 영화 같다면. 느리게 다시금 머릿속에서 재생된다면. 순간 모든 사물이 초점을 잃어 흐려지고 그 사람의 표정만 또렷하다면. 아, 하고 알게 된다. 답하지 않았던 질문들과 이어지지 않던 단서들이 모두 연결되면서 사랑이라는 답이 나온다.

연인과의 대화에서 아직도 당신이 궁금하다거나 알수록 더 좋아진다는 말을 찾는 것은 어렵지 않다. 이 말은 내가 알아내지 못한 당신을 계속 찾아내고 불러 세워

기어코 더 사랑하겠다는 고백이다. 당신을 계속 발견하겠다고, 눈부심을 발굴하는 일에 게을러지지 않겠다고 선언하는 것이다. 마음에 차곡차곡 들어차 벅찰 정도로 사랑스러운 당신의 표정들. 그리고 당신에게 비치는 내 표정을 보며 내가 사랑하고 있음을 실감한다. 우리는 서로 커다란 거울을 들고 서 있다. 두 거울을 마주 대면 상이 연속으로 끝없이 맺힌다. 당신과 나의 사랑스러운 표정들이 아코디언처럼 펼쳐진다.

p.s.

내가 전에 말했던 거 기억해? 얼굴보다 표정이 예쁜 사람이 좋다고 한 거. 신체적 얼굴은 타고나는 부분이 크지만 표정은 자신이 세월 속에서 만들어 낸 거라 그 사람의 성품이나 노력이 보여서 그렇다고. 그리고 결국 시간이 좀 더 흐르면 표정에 따라 원래의 얼굴도 변하게 되잖아. 나는 그게 마음에 들었어. 직접 다루고 내 마음대로 끌어갈 수 있는 것이 적은 세상에서 내가 갈무리할 수 있는 무언가가 있다는 점이. 나는 아래를 향한 입꼬리를 가지고 있지만, 언젠가 내 눈가에 생길 주름은 웃을 때 생기는 선을 따라 그어질 수도 있다는 거니까. 나는 앞으로 내가 사랑할 사람들을 생각하면서 표정을 연습했던 것 같아. 아무 사랑이 없던 때에도 말야. 타고난 냉기를 어쩌진 못해도 친절을 몸에 익히려 애썼고, 타인에 대한 감각이 부족해서 서툴렀던 배려도 직접 부딪혀 가며 배워서 점점 자연스레 나오도록 노력했어. 언젠가 나를 내어 주고 싶은 이들에게 내가 괜찮은 선물이길 바라면서. 나조차도 내가 마음에 안 든다면 누가 날 좋아하겠냐는 계산도 있었어. 막상 사랑을 마주했을 때, 사랑은 그런 게 아니었구나 알게 됐지만. 참, 미간에 패인 곳도 이제 많이 흐려졌어. 곧잘 인상을 써서 일곱 살 때부터 있었던 흔적이거든. 앞머리로 가리고 지내서 잘 몰랐는데 어느 날 자세히 보니 그렇게 되어 있더라고. 사랑이 마음에 가해지는 시술이라 치고 그 결과물이 표정으로 드러나는 거라면, 이곳에는 너의 지분이 크다고 봐. 네가 내게 짓게 만든 표정이 내 얼굴을 행복으로 부풀려 줬어. 내가 어쩔 수 없이 찌푸렸던 인생의 구간들마저 천천히 펴지는 것만 같아. 네가 찍어준 내 사진을 보면 가끔 놀라. 너무 행복해 보이는 표정을 하고 있어서. 내가 이런 표정을 지을 수 있는 사람이구나, 그리고 네 앞이라 내가 이럴 수 있는 거구나 바로 눈치채게 돼.

너랑 있을 때의 나는 보통 무표정해. 살면서 갖가지 표정을 지어 봤는데, 내가 제일 편안하게, 애쓰지 않고 자연스럽게 지을 수 있는 표정은 이거더라구. 혼자 있을 때도 보통 이 얼굴로 있어. 아주 웃긴 콘텐츠를 볼 때도. 그런데 이렇게 있으면 화난 것 같아 보인다고 사람들이 그래서, 밖에서는 보통 계속 미소를 짓고 있어. 쓸데없이 오해를 살 필요도 없고, 나름의 예의를 차리는 차원에서. 그렇지만 너는 내가 무표정으로 있어도 괘념치 않아. 너는 이 표정이 무엇인지 아니까. 그럼과 동시에 아주 미묘한 차이도 금방 알아내곤 해. 특히 여러 사람들 속에 우리가 있을 때. 나는 표정을 숨기는 데에 능한데도 너는 늘상 내가 감춘 표정을 알아채. 모든 사람이 떠나고 우리만 남았을 때, "너 아까 이런 거 불편했지?" 하며 슬쩍 묻는 너를 보면 내 재주가 다 무슨 소용인가 싶어. 진심이 아니고자 했던 적도 없지만, 진짜 다 들키는 걸. 은근 좋기도 해. 도무지 거짓을 내세우지 못하게 되니까. 꼼짝없이.

나랑 있을 때의 너는 보통 이상한 표정을 짓고 있어. 뭐랄까, 은은한 광기가 서린 눈을 하고 약간 미소를 띠고 있지. 요새 우리는 마주 앉아 업무를 볼 때가 잦은데, 너는 일을 할 때는 살짝 뚱한 표정이야. 눈이 마주치면 아주 높은 확률로, 거의 매번, 더 이상한 표정을 지으며 장난을 치려고 해. 처음에는 '왜 저러지' 했는데, 나중에 생각해 보니까 나를 매번 웃겨 주려는 마음이라는 게 너무 다정하고 귀여운 거야. 그러니 너의 갖가지 우스꽝스러운 표정들이 내 안에 사랑스러움의 카테고리로 들어가게 되더라구. 아주 작은 방에서 살았던 때를 기억해? 우리의 출퇴근 시간이 달라서 깨어 있는 것보다 너의 자는 모습을 제일 많이 보던 시절도 있었어. 너도 알다시피 그때의 나는 너무 불안했고, 기댈 곳도 가진 것도 없어서 생의 무게가 너무 가볍게 느껴졌어. 금방이라도 사라질 수 있을 것만 같았고, 내 목숨이 우스웠어. 누군가에게 내가 소중한 사람일 거라고는 감히 생각지 못했기에 아무에게도 폐를 끼치지 않을 거란 생각과, 그게 오히려 모두에게 좋을 거란 결론에 사로잡혀 있었고. 너는 자는 중이니 조용히 밖으로 나가 어딘가에서 사라지면 되지 않을까 생각도 많이 했었지. 놀라지 않게, 아주 나중에 발견될 만한 외진 곳으로 가야겠다고. 그때마다 네가 이불을 덮은, 만두를 닮은 둥근 실루엣과, 깊게 잠든 고요하고 깨끗한 얼굴을 봤어. 나는 당시 살아간다기보다 떠내려가고 있었는데, 하천에 떠가는 비닐 봉투가 어쩌다 가지 같은 것에 걸려들듯이 그 모습이 나를 매 순간 멈춰 세웠어. 어쩌다 이불 밖으로 삐져나온 발 하나에 왜 그렇게 눈물이 났는지 몰라. 분명한 건, 행복한 지금이 올 때까지 견딜 수 있었던 것은 너의 모습 덕이라는 거야. 살아 움직이는, 다양한 감정을 그려 내는, 너의 표정들. 그렇게 나도 살아서 너를 보고 웃고 있네.

사랑하면 얼굴이 닮는다는 말, 뭐 실제로 생활 패턴이 비슷해지고 같이 먹는 식사가 늘어나면 자연스레 그리 되는 것도 있겠지만, 정확히는 그건 얼굴이 아닌 표정이 닮는 일 같아. 서로의 얼굴을 보고, 같은 곳을 바라보고, 비슷한 감정을 느끼는 것. 사람은 자주 들여다보는 것을 닮게 되니까. 그래서 나는 이런 생각도 해. 내게 네 표정이 이토록 사랑스럽다면 나도 언젠가 네 사랑스러운 표정을 닮아 갈 수 있지 않을까 하는, 그런 꿈같은 생각. 나는 너의 표정을 좋아하니까, 그럼 언젠가 내가 내 마음에 들 수도 있겠다고. 그렇지만 그렇게 되지 않아도 좋아. 네가 나를 아껴 주고 있으니까. 내게 부족한 믿음을 네가 내내 건네주고 있으니까. 우리가 처음 만난 때, 어리고 긴장한 둥근 뺨을 가지고 있었던 때, 그때의 우리로부터 여기까지. 신기해. 우리가 그 순간 아무것도 몰랐다는 게. 나는 네게 그림 잘 그리는 하얀 애, 너는 내게 얼굴이 조막만하고 속눈썹이 긴 애였을 뿐이었는데. 이렇게 같이 저녁을 먹고 안티에이징을 궁리하며 수다를 떠는 지금이 되리라고는 상상하지도 못했잖아. 앞으로 프

릴처럼 잡혀 갈 우리의 표정 주름에 서로의 몫이 서려 있겠지. 다가올 세월이 우리의 얼굴을 조각해 바꾸어 나가더라도, 너는 내게 가장 사랑스러운 표정을 가진 사람일 거야. 우리가 지었던 모든 표정을 다 기억할 수는 없겠지. 기억은 흐려지고 기록도 절대적이지 않으니까. 삶은 한 번만 상영되는 영화니까. 그렇지만 우리의 얼굴은 지난 시간의 표정을 전부 담은 결과물이잖아. 우리가 계속 서로의 표정을 살펴보는 한, 우리는 우리의 전부를 꿰뚫어 볼 수 있을 거야. 얇은 피부 한 장 위로 투명하게 쌓인 두꺼운 시간을. 그리고 그 투명의 일렁임과 반짝임을.

10p.
14p.
25p.
31p.
35p.
46p.
56p.
59p.

17p.
22p.
28p.
40p.
42p.
53p.

Delight

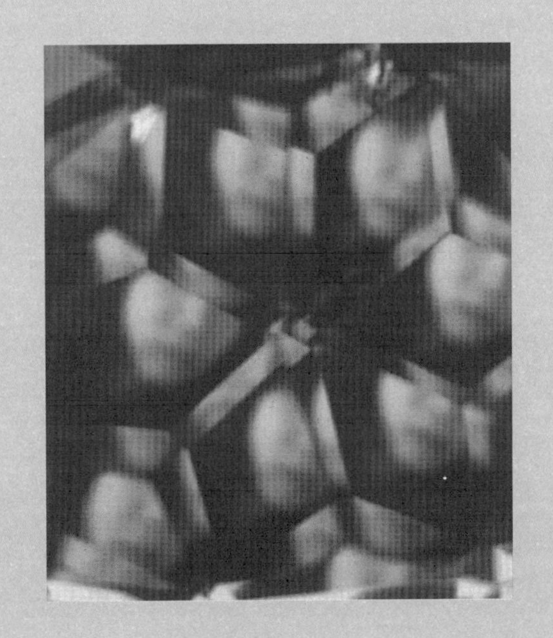

강혜빈

뉴노멀이 될 양손잡이. 사진작가 '파란피 PARANPEE'.
경계를 넘나드는 텍스트를 쓴다. 빛과 컬러를 중심으로
이미지를 발명하고 있다. 저서 『밤의 팔레트』 외 다수.

케이크 자르기

인간의 감정을 케이크에 비유한다면,

행복은 생크림 케이크일 것이다.

슬픔은 티라미수 케이크. 사랑은 초코무스 케이크. 외로움은 쌉싸래한 얼그레이 케이크……. 그렇다면 행복과 비슷한 듯 다른 기쁨은? 바로 케이크 속에 숨은 딸기잼. 무엇보다 순수하고 폭신한 케이크 한 조각이, 기쁨이라는 단어가, 나에게 주어진 데에는 다 이유가 있을 텐데. 우리는 기쁨 앞에서 어떤 표정을 지어야 할까?

기쁨을 가감 없이 드러내는 방식 혹은 숨기거나 절제하는 방식으로, 우리는 저마다의 케이크를 마주한다.

팬데믹 시대가 물러가고 봄이 다가오고 있다. 이번엔 왠지 정말 봄이라고 불러도 괜찮을 것 같다는, 이상한 두근거림에 사로잡힌다. 밤의 축축함을 뒤로하고 바삭한 햇빛과 친해지고 있는 요즘. 이 글을 읽는 당신과 함께 지면이라는 메타버스 안에서 케이크를 나눠 먹고 싶다. 무거운 마음은 잠시 내려놓고. 가볍게 포크를 들어 볼까.

프랑스의 구조주의 철학자이자 비평가인 롤랑 바르트Roland Barthes는 [찌름]을 뜻하는 '푼크툼'을 이야기한다. 이는 관객이 같은 작품을 바라보더라도 자신의 경험을 바탕으로 해석하고 받아들이는 것을 말한다. 자연스레 경험으로부터 오는 강한 인상이나 감정을 동반하는 푼크툼은 스스로를 찌르고, 스크래치를 내는, 내면에 찌릿한 전기를 흘려보내는 우연성이기도 하다. 그러니 사진과 글을 함께 보면 두 배로 다양한 해석이 가능해진다. 내가 텍스트와 이미지를 다루며 느낀 시너지 효과는 이런 것이다.

우리가 '기쁨'이라는 기표를 떠올릴 때 자의적으로 이미지를 그려 내지만, 분명 기쁨의 기의로부터 셀로판지처럼 겹치는 지점이 있을 것이다. 그러나 대부분의 경우 한 장의 사진을 바라볼 때, 저마다 느끼는 감정은 모두 다르다. 당신의 기쁨과 나의 기쁨의 결이 다르다는 건 어쩌면 당연한 일. 오늘의 케이크는 기쁨과 행복의 생크림 케이크지만, 사람에 따라서 그릭 요거트 맛이 날 수도 있다. 하지만 아무래도 좋다. 간접적으로나마 새로운 기쁨을 받아들일 준비가 되었다면.

일상 속에서 사람들은 생각보다 더 자주 기쁨을 느낀다고 한다. 하지만 부정적인 경험은 자주 돌이키며 더 생생히 느끼고, 흘러가는 기쁨에게는 무심하다. 실제로 경험하는 감정과 기억하는 감정이 다른 것이다. 사실 시원한 물 한 컵만 마셔도 갈증이 사라지면서 만족감이 느껴진다. 이를 닦고 난 후의 개운함은 또 어떤가. 갓 마른 이불에서 나는 바삭바삭한 햇빛 냄새도. 하지만 그런 건 너무 금세 휘발되고 사소하게 여겨진다. 나라는 존재를

씻기고, 먹이고, 재우면서 새로운 오늘을 살아 내야 한다는 버거움이 우리를 휘감고 있다.

'딜라이트delight'는 '기쁨'을 의미하지만, '기쁨을 주는 것'을 뜻하기도 한다. 앞서 이야기한 것처럼 나는 종종 감정이나 기분 같은 추상적인 개념을 음식에 비유하곤 하는데, 케이크에 이어 이번에는 터키쉬 딜라이트 젤리가 떠올랐다. 로즈, 레몬, 피스타치오 맛이 나는, 달콤하고 쫀득한 기쁨. 가벼운 슈거파우더가 차르르 흐르는 기쁨. 상자에서 자꾸만 꺼내 먹고 싶은 기쁨. 무궁무진하다. 이처럼 감정에는 다양한 색깔과 맛이 있다. 넓은 기쁨. 단단한 행복. 흐르는 환희. 수상한 즐거움. 또는 쾌락, 희열, 반가움 등……. 기쁨은 다양한 얼굴로 우리 앞에 불쑥불쑥 찾아온다.

사랑하는 이들과 테이블에 둘러앉아 맛있는 저녁을 나눠 먹을 때. 고양이의 보드라운 털 밑을 만질 때. 여행지에 처음으로 발을 내디딜 때. 친구와 시답잖은 농담을 주고받으며 동시에 웃을 때. 잠든 연인의 얼굴을 바라볼 때. 귀여운 펭귄 인형을 선물 받았을 때. 글이나 그림, 오랫동안 풀리지 않던 일을 마침내 마무리하고 침대로 다이빙할 때. 랜덤 재생한 플레이리스트에서 취향에 딱 맞는 노래를 발견했을 때. 모르는 골목으로 들어섰는데 알고 보니 지름길일 때……. 잠깐 떠올려 봐도 행복한 장면들이 이렇게나 많다. 부러 텍스트나 이미지로 기록하고 채집하지 않더라도, 이미 무의식 안에 내재된 장면들. 푼크툼처럼 나를 찌르는, 어떤 기이한 디테일들이다.

하지만 내가 생각하는 진짜 기쁨과 행복은, 사실 거창한 게 아니다. 그래서 더욱 알아채기 어려울지도 모른다. 기쁨이란 무언가 더 벅차고, 더 충만하고, 더 엄청난 무언가가 있어야 할 것만 같지만, 그런 기쁨은 자주 찾아오지 않는다. 또한 너무 큰 행복은 공허함까지 데려올 수 있다. 어쩌면 아무런 일도 일어날 것 같지 않은, 고요하고 심심하며 심지어는 지루하기까지 한 상태. 무덤덤한, 잔잔한, 그래서 '나'라는 것을 잃지 않고 똑바로 서 있는 가만한 상태. 외부로부터 들어오는 장면과 감정을 수용하고 잘 소화할 수 있는 그런 상태가 바로 기쁨의 민낯이 아닐까.

Canon

감정을 다룬 영화 <인사이드 아웃>처럼, 기쁘고 행복한 순간에는 동그랗고 투명하고 깨끗한 구슬이 마음속에 차곡차곡 쌓이는 느낌이 든다. 슬픔이나 고독, 두려움이 비워 내는 감정이라면, 기쁨은 더해지는 감정에 가까울 것이다. 하지만, 영화 속 캐릭터 'Joy'(기쁨이)의 머리카락이 파란색인 이유는 'Sadness'(슬픔이)가 중요한 역할을 하기 때문이듯, 기쁨보다 앞서 있는 것은 슬픔이다. 슬픔이나 고통 덕분에 즐거울 수 있다. 우리가 느끼는 감정에 더 우월하고 더 열등한 것은 없다. 같은 감정이라고 해서 매번 똑같은 강도로 다가오지도 않으며, 숫자로 나타낼 수도 없다. 우리의 감정은 서로가 긴밀하게 연결되어 있다. 몸과 마음 또한 마찬가지다. 우리에게 다가오는 감정들을 기다리던 친구처럼 환대하면 그들도 나를 아껴 준다. 슬픔을 온전히 슬픔으로 인정하고, 피하지 않고 바라봐주면 물에 녹듯 스르르 사라진다. 기쁨을 정확히 바라보면 무심히 지나칠 때보다 더 깊고 커다란 빛을 건넨다.

seit 1. Jän

혼자서 훌쩍 떠났던 비엔나와 파리 여행에서, 나는 필름 카메라를 들고 여기저기 쏘다녔다. 사물과 거리의 풍경을 담느라 내 얼굴이 담긴 사진은 거의 찾아볼 수 없었다. 그러나 한 장 정도(앞 페이지 사진)는 남아 있었다. 어딘가 들뜬 두려움과 미지의 도시에서 살아남아야 한다는 비장함, 이방인으로서의 낯선 감각이 담긴 표정을 본다. 왼쪽 눈은 가려져 있지만, 직관적으로 나머지 표정도 읽어 낼 수 있었다. 나는 분명…… 두려웠지만 온전히 홀로 두려울 수 있음에 기뻤던 것 같다.

나는 지나칠 만한 작은 기쁨도 쉽게 발견하는 편이다. 시인과 사진가의 렌즈로 세상을 바라보면, 무엇이든 돋보기로 확대한 것처럼 크게 느껴지기 때문인 듯하다. 감각이 열려 있기 때문일지도 모른다. 물론 이러한 발견자로서의 자세가 체화되기까지는 수련의 시간이 필요했다. 의도적이든 아니든 시 쓰는 몸을 만들어 가는 과정 속에서 고통이 수반되고, 그러나 그 고통을 넘어서는 순간 엄청난 기쁨을 경험했다. 필연적으로, 시를 만나고부터는 자세히 바라보게 되었다. 길가에 구르는 돌멩이가 그저 그런 돌멩이가 아니고, 눈앞에 놓인 머그컵이 그저 그런 머그컵이 아니다. 모든 사물과 현상들이 서사를 가지고 스스로 움직인다. 가만히 그 자리에 놓여 있더라도, 그것은 움직이고 있는 것이다. 시인이라는 관찰자로부터, 그것은 발견된다. 매일이 새로운 발견의 날. 똑같은 길로 출근하고, 똑같은 루틴으로 하루를 지내도 그 속에서는 끊임없는 변주가 이루어진다. 나는 앞으로도 성실하게 기쁨을 발견하고, 행복할 때 행복하다고 말할 수 있는 사람이고 싶다.

그래서 오늘 준비한 케이크는, 이상하고 귀여운 나의 가족들이다.

흰 수염 아저씨

옹이는 나의 눈을 똑바로 쳐다보며 운다. [야옹]보다는 [아-옹]에 가까운. 그 소리를 들으면 어쩐지 마음 한구석이 쓸쓸해지기도 하는 것이어서, 무방비 상태로 곤두서 있던 감정의 결이 찬찬히 쓸리고 만다. 이름은 옹. 단 한 글자. ('옹이'라고 부르기도 하는데, 시적 허용이라고 해두자.) 2015년 3월 10일에 태어났다. 누군가는 이름이 너무 단순한 것 아니냐고 웃지만, 심플 이즈 베스트. 옹이를 옹이라고 불러 주었을 때, 이 세계의 옹이가 되었고, 이제는 옹이가 아니면 안 된다.

옹이 처음 집에 오던 날, 장대비가 내렸다. 케이지 안에서 슬그머니 나온 옹이는 손바닥만큼 작은 몸으로 낯선 집 안을 수색하기 시작했다. 차차 적응을 하자 몸을 커다랗게 부풀리고는 직각 모양으로 통통 튀어 다니기도 했다. 옷걸이처럼 등을 바짝 세우고, 통통. 꼭 자신을 발견하길 기다렸다가 말이다. 정말 이상하다……. 많은 집사들이 고양이의 이상한 면에 매료되곤 한다. 나도 그중 하나였다. 아마 옹이도 인간을 이해할 수 없을 거다. '꼬리도, 털도, 수염도 없는. 저 이상한 생물체는 뭐지?'

고양이라는 존재를 가까이서 마주한 것이 처음이라 늘 긴장 태세였다. 그러다 조금씩 가까워졌다. 역시 간식 덕분이겠지. 옹이는 값비싼 수제 간식은 거들떠도 안 보지만, 입맛에 맞는 추르와 북어 트릿은 주기적으로 꼭 먹어 줘야 한다. 갑자기 다가와 빤히 쳐다본다면? '나에게 기쁨을 내어 달라'는 뜻이다. 그렇다면 집사 된 자로서 분부를 받들 수밖에. 숙명처럼 따를 수밖에. 옹이는 자신의 귀를 내 무릎에 비비곤 한다. 원하는 바가 있는 경우가 다반사지만, 바라는 바 없이 치대기도 한다. 그리스 여행에서 한 달 반 만에 집에 돌아왔을 때 특히 그랬다. '떠들어 대는 인간이 없어서 뭐 조금, 심심했음.'이라고 말하는 것 같았다. 자주 피아노 뒤에서, 이따금씩 침대 밑에서, 혹은 아주 드물게 배 위에서 잠들었다. 새벽 즈음에는 원고 작업을 하느라 혼자 깨어 있는데, 그러면 옹이는 조용하고 느리게 다가와 나의 상태를 살핀다. '죽었나? 음, 아직 살아 있군.' 하고 팔 안쪽이나 허리 쪽에 자신의 체중을 실어 눕는다. 나는 그럴 때 아주 따뜻하고 안전한 기분에 휩싸인다.

옹이의 첫 생일에는 가족들과 함께 생크림 케이크를 자르고 축하 노래를 불렀다. 역시 기쁨에는 생크림 케이크가 빠질 수 없지. 옹이는 소화기관이 약해 종종 토하거나 배앓이를 했지만 크게 아픈 곳 없이 잘 자랐다. 옹이는 낯가림이 심한 고양이는 아니다. 옹아, 부르면 도도도 달려오고, 느닷없이 종아리에 매달리기도 한다. 캣초딩 시절엔 밤마다 우다다를 해서 가족들을 밤잠 설치게 해주는 다정함, 혼자만의 숨바꼭질이 시작되면 어디 있는지

도무지 찾을 수 없는 철두철미함, 높은 선반에 올라가 물건을 탐사하는 개척 정신마저 갖추고 있다. 물론 지금은 중후한 고양이 아저씨가 되어 점잖아졌지만.

접힌 귀와 납작한 이마. 대칭을 이루는 회갈색 무늬. 보드랍다. 쓰다듬고 있으면 잠시 옹이가 되는 것 같은 기분이 든다. 양자역학의 원리로 우리는 현재에 뒤섞인다. 동물이 인간에게 말을 걸어 올 때, 그들이 말하고자 하는 메시지를 인간은 직감적으로 느낄 수 있다는 연구 결과를 보았다. 고양이 언어 번역기 앱도 있지만, 오히려 정확히 모르는 편이 좋다. 옹이가 내는 소리의 높낮이와 주파수, 골골대는 진동 모두 있는 그대로 느끼고 싶으니까.

과거의 일기에는 '옹이와 다음 달이면 헤어질지도 모른다'라고 썼다. 되는 데까지 반대를 할 예정이나 높은 확률로 실패할지 모른다고도 썼다. 겨울이면 동생이 군대에 가고, 나는 집을 자주 비우게 될 것이라고. 어쩌면 헤어질 때가 되었을지도 모른다고 과거의 나는 예감했다. 옹이를 데려오며 잠시 동안 식구가 되었던 외삼촌이 옹이와 함께 살 넓은 집을 구하게 되면서, 이제 정말 이별의 시간이 온 것이다. 삼촌은 다른 고양이 동생과 살고 싶으냐고 물었지만, 싫다고 대답했다.

옹이는 나의 눈을 똑바로 쳐다보며 운다. [아-옹]보다는 [안녕]에 가까운 울음은, 어쩐지 마음 한구석이 쓸쓸해지기도 하는 것이어서, 무방비 상태로 곤두서 있던 내가 찬찬히 무너지고 만다.

안나 리의 사랑

안나는 나라는 존재를 세계에 내보인 사람이다. 엄밀히 말하자면 나를 만든 사람이다. 내가, 안나의 첫 '시'인 셈이다. 우리의 영혼은 보이지 않는 실로 연결되어 있을 것이다. 나는 집안에서 가장 처음으로 태어난 아기였는데, 그래서인지 양가 어른들의 사랑을 듬뿍 받고 자랐다. 대가족이었다. 돌아보면 내가 속해 있던 가족이라는 사회의 형태는 가부장제보다는 모권제matriarchy에 가까웠다. 어머니가 가족의 책임자인 사회조직의 형태로서, 자손들이 어머니에게 큰 영향을 받았다. 친가도, 외가도 그랬다. 어머니가 주요한 권력 위치를 점하는 분위기였다. 증조할머니, 할머니, 그리고 엄마에 이르기까지. 여

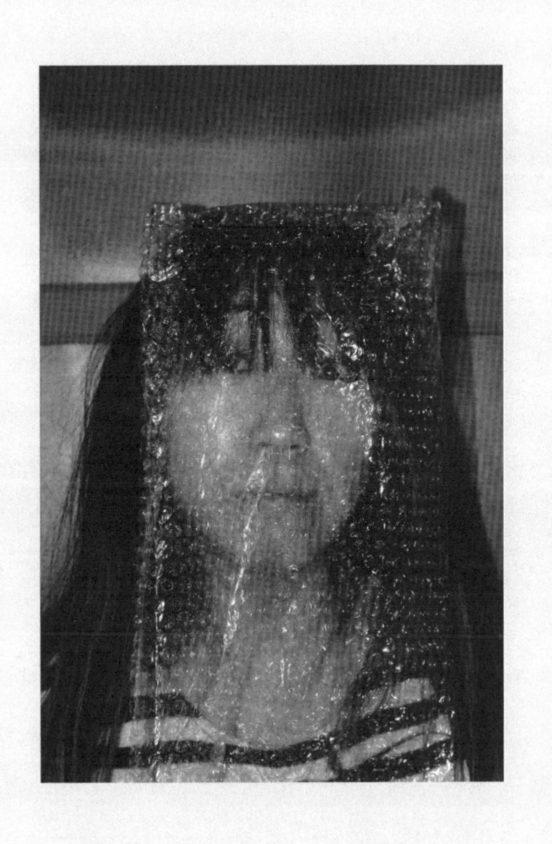

성들이 파이브 툴 플레이어five-tool player처럼 돈을 벌고, 가사를 돌보고, 아이를 길러 냈다.

안나는 일찍이 똑 소리 나던 아이였다. 무엇이든 군소리 없이 척척 해내던 맏이였다. 갖고 싶은 게 있어도, 먹고 싶은 게 있어도 위로는 오빠에게, 아래로는 동생들에게 양보했다. 어릴 적에는 국어 교사가 되기를 꿈꾸었다. 그러나 일을 해야 했다. 오빠와 남동생에게 더 좋은 자리를, 학업의 기회를 건넨 안나는 호텔리어의 길을 걷게 된다. 흰 파우더와 꽃분홍색 루주를 바르고, 생계에 뛰어들었다. 그리고는 수학과 가까워졌다. 차차 자신만의 분야에서 전문성을 길러 나갔다.

안나는 주변 사람들이 자신을 '시인의 어머니'라고 부르면 뿌듯해한다. 하지만 그녀는 나보다 먼저 시인이었고, 강인한 여성이었고, 두 아이와 가정을 이끄는 가장이었고, 나의 문학 선생이자, 사포Sappho였다. 사포는 기원전 612년 그리스의 작은 섬, 레스보스에서 태어난 시인이다. 사포에게는 딸 한 명이 있었고 남편을 잃은 뒤에는 홀로서기를 해야 했다. 그녀는 소녀들을 모아 음악과 시, 무용 등을 가르치는 일을 했다. 이 시절 사포는 많은 시를 지었는데, 그 대상은 주로 자신이 가르치는 여성들이나 친구, 연인이었다.

나는 안나와 함께 시를 지었다. 내가 시인이 되기로 마음먹은 스물한 살 때부터였다. 수석으로 들어간 대학교를 자퇴하고 공무원 준비를 그만두었을 때, 안나는 물론 속상해하며 반대했지만, 결국 나의 손을 들어주었다. 그리고 누구보다 든든한 지지자가 되어 주었다. 안나는 지금껏 무언가를 강요하거나 시킨 적이 없다. (물론 방 청소는 제외하고…….) 어릴 적 배운 피아노도, 학원과 과외도, 보충수업과 야간자율학습도, 대학교 자퇴와 입학도, 취업과 퇴사도 모두 내가 원해서, 스스로 한 것들이었다. 믿음이라는 단어는 무겁지만 안나가 나를 한 사람으로서 존중한다는 것을 느끼면 믿음은 나를 지탱해 주는 무게가 된다.

시로 돌아와서, 한 편의 초고가 완성되면 나는 꼭 안나에게 먼저 보여 준다. 그리고 우리만의 소규모 합평회가 열린다. 저녁을 먹으면서, 나란히 침대에 누워서, 온라인으로, 산책하면서 시에 대한 이야기를 하는 것이다. 이번 시에 드러나는 정동은 무엇인지, 어떤 서사가 숨어 있는지 분석하고 감상을 나눈다. 안나는 내가 시인으로서 만난 최초의 동인이자 문우였다. 우리가 함께 자주 읽은 텍스트는 최승자 시인의 시집. 꼬리에 꼬리를 무는 「악순환」이라는 시를 낭독하고 안나는 어느 날 눈물을 보였다. 그 장면은 나의 어딘가에 선명히 새겨져 있다. 어두운 거실 소파에 앉아 시로 함께 공명하던 순간. 이 모녀에게 시는 치유의 매개가 되어 주고 있었던 것이다. 그리고 안나도 가끔씩 시를 쓰기 시작했다. 단어를 공처럼 주고받으면서 다른 스타일의 문장으로 변주하고, 완전히 다른 시가 되어 가면서 일명 '시 놀이'를 했다.

✦

안나를 떠올리면 몇 가지 떠오르는 장면들이 있다. 엄밀히 말하자면, 몇 가지 남아 있는 감각들이 있다. 어느 날, 학교에서 돌아와 테이블에 있던 단팥빵 하나를 먹었다. 고소한 냄새, 겉면에 반짝반짝 흐르는 윤기, 입 안에 가득 차는 달콤한 팥소에 절로 기분이 좋아지는 빵이었다. 안나에게 하나로는 부족할 정도로 맛있었다고 말했다. 다음 날 집에 돌아오니 식탁 위에 단팥빵이 쌓여 있었다. 소파 위에도 빵이 가득했다. 침대맡에도, 냉장고에도 있었다. 한 박스를 산 모양이었다. 어제도 먹고 오늘도 먹었는데 사라지지 않는 빵들. 안나는 나의 말을 인공지능 비서 '시리'처럼 늘 듣고 있다. 나와 동생에게 필요한 것을 빠뜨리지 않고, 늘 구비해 둔다. 성인이 되고 나서는 내가 안나의 말을 귀담아 들으려 한다. 또 뭐가 맛있다고 하면 한 박스씩 살까 봐 동생과 나는 조용한 리액션을 하기로 암묵적인 약속을 한다. 나는 이 사랑이 가끔 아프다. 마음이 체하는 것처럼 찡하다.

급하게 학원에 가려고 나서던 참이었다. 안나가 맨발로 뛰어나와서 천 원짜리 몇 장을 쥐어 주었다. 간식 사 먹으라고. 그걸로 먹고 싶었던 아이스크림을 샀고, 함께 등원하던 친구도 사줬다. 우리는 수업에 늦었다. 계단을 뛰어 올라가던 친구가 한입 맛보지도 않은 아이스크림을 땅바닥에 버렸다. 날 보며 웃었다. 그리고 마저 뛰어서 강의실로 들어갔다. 친구도 상황이 급했을 것이다. 그런데 괜히 서러웠다. 나는 학원 유리문 앞에서 아이스크림을 꾸역꾸역 먹고 들어갔다. 회색 시멘트 바닥에서 녹아 가는 바닐라맛 아이스크림을 보면서. 입 안이, 입술이 얼얼했다. 안나의 발바닥에게 미안했다.

안나는 내가 집에 없으면 아무도 없는 것 같다고 말한다. 프랑스로 한 달 여행을 가기 전, 베란다에서 서늘한 캐리어를 꺼내 주면서 한 말이다. 하긴, 하루 종일 이 방 저 방 쏘다니며 쫑알대는 사람이 없으면 꽤 조용하겠다, 싶었다. 나는 안나에게 잘 치대는 수다스러운 딸이다. 어릴 때부터 그랬다. 나는 집에 돌아오면 가족들을 귀찮

Happy Birthday

게 구는 역할에 충실하다. 스스로 자처한 일이다. 마치 스위치를 켜는 것처럼, 분위기 메이커 자아를 켠다. 종종 안나의 침대에서 잠드는 것을 좋아했다. 정신적으로 불안정하고 힘겨울 때, 안나는 나의 손을 꼭 잡아 주었다. 무엇보다 안정되고 건강해진 지금은 조금만 치대도 걸리적거린다며 내쫓지만. 안나와 함께 누워서 숨을 고르고, 함께 밤을 건넜던 기억은 소중하다. 엄마보다는 이름으로 부르고 싶은 사람, 안나 리.

"시인은 헐벗은 말에 옷을 입혀 주는 존재"라고, 안나는 말했다. 그리고 안나는 환하게 웃는다. 세상 걱정이 하나도 없는 사람처럼. 그녀는 알몸으로 태어난 나를 입히고 먹이고 길렀다. 그렇게 자란 딸은 시인이 되어 언어의 옷을 만들고 입힌다. 안나와 함께 늙어 가면서 나란히 귀여운 할머니가 된 우리의 미래를 그려 보면서, 같은 옷을 나눠 입을 수 있다면 좋겠다.

마사코를 기억함

나의 첫 시는, 할머니였다. 마사코를 기억하기 위해 다시 쓴다. 마사코는 안나를 만든 사람. 안나는 나를 만든 사람. 나는 시를 만드는 사람. 마사코는 나를 등 뒤에서 지지하고 응원해 주던 사람. 나는 할머니와 엄마의 울타리 속에서 건강한 자존감을 길렀다. 새로 쓴 시를 보여 드리면 꼭 소리 내어 낭독하고, 마음에 와닿는 부분을 이야기해 주던 사람. 천진한 아이처럼 맑은 사람. 첫사랑 이야기를 하면 시간 가는 줄 모르던. 소녀처럼 마음에 흥과 사랑이 많은 사람. 나를 있는 그대로 바라봐 주고, 귀하게 아껴 주던 사람. 때로는 허물없는 친구처럼 고민을 나누던 사람.

마사코는 청소를 좋아했다. 바닥과 창틀을 깨끗이 쓸고 닦고, 이불보를 단정하게 펴고, 서랍장의 물건들을 모두 꺼내어 다시 재배치하곤 했다. 덕분에 마사코가 다녀가면 내 방은 항상 깔끔했다. 말끔해진 방을 보면서 할머니 다녀갔구나, 알았다. 바닷가에 살던 마사코는 종종 우리 집에 놀러오거나 주기적으로 몇 달씩 지내곤 했다. 그리고 몇 년 동안은 함께 살았다. 가끔 마사코가 어딘가로 치워 버린 물건들의 행방이 묘연하여 심통을 부린 적도 있다. 제발이지 내버려 두라고. 찾는 물건이 어디 있냐고 물으면 마사코는 글쎄, 하면서 홍홍홍 웃었다.

마사코와 나는 성격이 비슷한 면이 있어서인지 자주 부딪히고 티격태격했다. 그러다가도 죽이 잘 맞을 때에는 몇 시간이고 떠들고 웃으면서 시간을 보냈다. 마사코는 멈추지 않았다. 여기에서 저기로, 저기에서 거기로 옮기고 또 옮겼다. 닦고 쓸었다. 그게 보기에 좋다고. 그렇다. 마사코는 미감이 뛰어났다. 자신만의 미학이 있었다. 사람을 볼 때도, 물건이나 공간을 볼 때도, 식물을 볼 때도. 마사코는 젊은 시절, 동네에서 알아주는 패셔니스타 멋쟁이였고, 대목수 집에서 태어난 유복한 딸이었다. 아름다운 절경을 보러 전국 방방곡곡으로 여행을 다니기도 했다. 그런 덕분에 내가 카메라를 들고 모델을 요청하면 부끄러움도 잠시, 훌륭한 피사체가 되어 주었다. 마사코의 얼굴을 보면 이상하게 편안해진다. 포즈를 지어 보이는 데에 거리낌이 없었는데, 표정만큼은 어딘가 미묘하게 어색했다. 나는 그런 점이 좋았다. 사춘기 소녀처럼 무언가를 감추고 있는 듯한 미소, 카메라를 응시하지 않고 약간은 비껴 나 있는 시선, 자신이 렌즈 속에 담기고 있다는 의식으로부터 부풀어 오르는 기쁨들이 그의 표정에서 느껴졌다. 마사코의 생전 모습을 남겨 두길 잘했다고 지금에야 생각한다.

마사코는 2020년 겨울에 이 세계를 떠났다. 이듬해 할아버지도 함께 떠났다. 우리 가족은 비탄에 빠졌다. 마사코는 보다 넓고 편안한 곳으로, 하늘 위 푹신한 구름 사이로 가서 자신의 아버지가 꿈꾸던 근사한 나무집을 짓고 지낼까. 너머에 얼마나 좋은 게 있으면 이리도 빨리 가버렸을까. 한동안 궁금했다. 할머니는 내가 늙어 가는 게 안 궁금할까. 바다 보러 여행도 가기로 했는데. 우리 약속은 다 잊었을까. 그동안 너무 많이 울어 버려서, 더는 울지 않을 거라고 생각했는데, 눈물은 어디선가 자꾸만 만들어졌다. 눈에서 물이 끝없이 나와서 이상했다.

납골당에 갔다. 복도는 깔끔했다. 섹션마다 방의 이름이 붙어 있었다. 한낮인데도 차가운 공기가 맴돌았다. 달의 방. 마사코는 거기 있었다. 천장과 가장 가까운 맨 위에. 보름달처럼 떠 있었다. 할아버지와 함께 사진 속에서 환히 웃으며. 할머니는 왜 저렇게 작은 항아리 안에 들어 있을까. 할머니는 어디로 갔을까. 분명 알지만 궁금했다. 인사를 하려면 은색 사다리를 타고 두 발자국 정도 올라가야 했다. 가족들은 돌아가며 인사를 했다. 나도 사다리를 타고 올라가 유리문에 가려진 마사코 얼굴을 만져 보았다. 곁에 옹이 사진도 올려 두고, 해바라기 꽃도 스카치테이프로 단단히 붙여 두었다. 배 속에서 울렁거리는 느낌이 났다. 이상했다. 마사코를 다시는 볼 수 없고, 만질 수 없고, 목소리를 들을 수 없다는 사실이 이상했다. 정말로 이상했다. 분명 여기에 있었는데, 없어졌다. 죽음이라는 건 이상하다는 감각일까. 슬프다기보다는 너무 이상해서 나는 자꾸만 이 세계로부터 멀어졌다.

할머니 댁으로 돌아와 마사코의 물건들을 정리했다. 아끼던 조끼와 스웨터들. 조그만 양말들. 서랍을 열었더니 내가 어린 시절 주었던 편지 더미가 있었다. 그는 20년도 더 된 흔적들을 고이 모아 두었다. 꽃반지와 실 팔찌 같은 것들도 마치 새것처럼 잘 보관되어 있었다. 그는 어떤 선물을 받아도 늘 아까워서, 먼지가 탈까 봐 비닐이나 상자 같은 것들로 포장을 해두고 정작 필요할 때 쓰지 못했다. 나는 그게 못내 답답했다. 더 많이 느끼고, 누렸다면 좋았을 텐데. 우리에게 주어진 시간은 그리 많지 않다. 예고 없이 이별의 순간은 찾아오고, 아무리 준비를 해도 슬픔의 크기는 줄어들지 않는다. 아끼지 말걸. 사랑한다는 말 자주 할걸. 듣지 못한대도 속으로 편지를 쓴다. 회한은 기쁨의 반대편에 있다.

할머니, 할아버지가 떠나고 나서 우리 가족은 더 자주 모였다. 이모와 삼촌들, 그리고 동생들. 평소에도 오래된 친구처럼 스스럼없이 지냈지만, 더 가까워졌다. 우리는 모두 한 동네에 산다. 매주 토요일 다섯 시부터 모여 소소한 파티를 연다. 브이로그를 찍고, 플레이 스테이션으로 게임을 하고, 배드민턴을 치기도 한다. 매주 제철 음식들로 메인 메뉴가 바뀌고, 디저트를 나눠 먹는다. 종종 드라이브를 가거나 외식을 하기도 한다. 식사를 마치면 테이블 치우기와 설거지는 늘 가위바위보로 정한다. 가족들과 식탁에 둘러앉아 여러 가지 주제로 대화하는 시간이 좋다. 우리는 서로 고민 상담을 하거나 최근 있었던 일들에 대해 말한다. 사회에 대한 비판도 하다가, 다음 주 저녁 뭐 먹지? 로 끝난다.

이럴 때 할머니, 할아버지가 계셨다면 좋았을 텐데. 말하지 않아도 가족들은 모두 같은 마음으로 있다. 맛있는 걸 먹거나, 좋은 걸 보면 특히 마사코를 떠올린다. 그리고 괜히 놀리기도 한다. 할머니, 호박 식혜 참 좋아했는데. 할머니, 항상 이럴 때 얄밉게 웃었는데. 할머니, 은근 음치 박치셨잖아. 어디서 노래 나오면 알 수 없는 춤도 추시고 그랬지. 할머니 있을 땐 집이 깨끗했는데, 먼지가 이렇게 빠르게 쌓이는 거였어? 이제야 알겠다. 인간에게 기억이 없다면 과거는 종잇조각처럼 무의미하다. 내가 마사코를 기억함은 마사코가 지금 여기 살아 있다는 반증이다. 그래서 자꾸만 말한다. 더 적극적으로, 마사코를 기억한다.

어느 날, 꿈에 마사코가 나왔다. 너무 생생해서 깨어나서도 실감이 나지 않았다. 아주 풍성한 구름들이 가득하고 아름다운 노을이 지는 날이었다. 마사코는 한복 차림으로 무덤엘 간다고 했다. 내가 동행하려고 급하게 외투를 걸치자 따라오지 말라고 했다. 마사코는 왜인지 온화하고 편안해 보였다. 그리고 그 후로는 두 번 다시 나오지 않았다. 나는 이 꿈을 꾸고 나서 시 한 편을 썼다.

재구성

시골길 험한 길
콩밭 배추밭 지나

사다리 놓인 문 앞에 다다랐다
높은 집이었다

얼어붙은 풀들이
발목을 찔렀다

나무를 타고
한참인가를
기어서 올라갔다

마사코가
방 안에 앉아 있었다

죽은 줄로 알았던
마사코가

비스듬히
단감을 깎고 있었다

어쩐 일인지
쪽진 머리가 희었다

눈이 부실 만큼
희었다

마사코, 부르자
실내가 좁아졌다

찬장이 흔들리고
액자가 깨지고

쪼그라든 단감이
굴러왔다

마사코는 서둘러
채비를 했다

무덤 보러
무덤엘 간다고

혼자서
반드시 혼자서 간다고

털모자와 헝겊 장갑
버선과 고무신

잊지 않고
웃지도 울지도 않고

어느 때보다도
산뜻해 보였다

손차양을 하고
멀리
내다보자

호박색 하늘에는
성성한 구름이 가득했다

종말에 다다른 것처럼
대단히 아름다웠다

금방 외투만 챙겨
돌아왔을 때

마사코는 없고

칠이 벗겨진
사다리만 휘청거리었다

내가 아는 연희

어느 여름, 연희를 만났다. 소란스러운 펍에서였다. 낭독회가 끝나고 뒤풀이에 참석했다. 자리에는 같은 해 작품 활동을 시작한 시인들로 가득했다. 우리는 '2016'이라는 공통의 숫자를 가지고 이야기 나눴다. 모두 조금쯤 들떠 있었다. 스물네 살의 나는 머리칼이 허리까지 왔고, 바깥은 흑발, 안쪽은 옅은 레몬색의 금발이었다. 머리부터 발끝까지 검정색 옷을 입었고, 우울한 노래를 즐겨 들었으며 자주 흔들리고 자주 아팠다. 어두운 술집. 모르는 얼굴들. 아이스 황도와 화채. 먹태와 마요네즈. 커다란 맥주 통. 저마다 동그란 테이블에 둘러앉았다. 연희는 나의 대각선 방향에서 호방하게 웃고 있었다.

'저 언니는 누구지?'

연희의 첫인상은 단단한 심지를 가진 양초 같았다. 말캉말캉하고 축축한 먹구름 같았던 스물넷의 내게, 연희는 계속 바라보고 싶은 불꽃이었다. 장작 곁에 함께 타오르는 숲이었다. 숨 막힐 정도로 초록색의, 무성한, 큼직큼직한 나무들로 가득 찬……. *"밤은 때때로 이상한 나무를 되살아나게 해 그 나무의 빛이 어두움으로 가득 찬 방들을 분해한다."**라는 프랑시스 퐁주의 문장이 떠오른다. 시 구절의 '이상한 나무'가 시 자체라면, 어두운 방 안에서 골몰하는 시인에게 시적 순간은 불붙인 양초가 흔들리며 빛나는 순간과도 같다. 시는 죽음의 편인 어둠을 환하게 밝혀 주는, 심연과 두려움, 불안을 내쫓는 자발적인 구원과 치유의 조력자이다. 나는 왜인지 다음이 궁금해지는 사람을 좋아한다. 그런 사람과 늘 친구가 되었다. 어쩌면 연희를 만나게 된 것은 시가 내게 내려 준 축복이자 선물일 거다.

---

* 프랑시스 퐁주, 「양초」, 『일요일 또는 예술가』.

어떤 인상은 사진처럼, 혹은 생생한 영상처럼 기억된다. 나도 모르게 무의식에 각인된다. 그리고 밤은 그런 장면들을 다시 불러낸다. 연희의 웃는 입매와 시원스러운 말투가 좋았다. 발성이 남달라서 본업이 연극배우인가, 싶기도 했다. 사실 만나기 전에, 그의 당선작인 「수박이 아닌 것들에게」를 인상 깊게 읽었던 기억이 있다. "여름이 아닌 것들을 좋아한다"라는 문장으로 시작되는 시. 그러나 다시 "이 여름을 죽도록 좋아한다"고 고쳐 말하는 시. 우리는 여름에 만났다. 그때의 우리는 여름을 호명하면서도, 폭설이 내리는 겨울을 좋아했다. 그리고 지금의 나는, 나를 시험에 들게 하는 여름을 좋아한다.

그리고 우리는 자주 만났다. 교보문고에서 수요 낭독회를 기획하던 시절, 내가 연희를 패널로 섭외하면서 가까워졌다. 수많은 낭독회에서 시를 읽고, 꽃을 주고받고, 맛있는 음식을 나눠 먹고, 건배하고, 전시와 영화를 보러 가고, 고민과 두려움을 나누고, 함께 걷고, 카페에서 즉흥으로 시를 쓰기도 했다. 우리는 만날 때마다 소소한 선물과 엽서, 편지를 주고받았다. 미리 상의한 것도 아닌데 그랬다. 상자에는 연희가 준 편지와 포장지들이 수북해져 갔다. 여럿이서 모이기도 했지만 비교적 동네 친구였던 우리는 주로 둘이서 만났다. 나의 여름과 겨울에 연희가 있었다. 앙상할 때도, 무성할 때도 곁에 있었다. 축하하고, 약속하고, 응원하면서.

이후 동료인 김은지 시인, 임지은 시인과 함께 펍에서 팀 '분리수거'를 만들었다. 일회용 동인은 아쉬우니까, 뭉쳤다가 다시 모일 수 있는, 느슨하고 다정한 거리를 가지는, 팀이 되자. 우리는 서로의 시와 이미지에 어울리는 물성을 정하기 시작했다. 그렇다면 분리수거할 수 있는 유리가, 캔이, 종이가, 플라스틱이 되자. 나는 투명해서 부끄러워지는, 그럼에도 가감 없이 드러내는 유리를. 매끄럽고 환하지만 깨진 단면이 날카로운 유리를. 거울이 되기도 하는 유리를. 처음으로 골랐다. 연희는 캔이 되었다. 구겨져도 금세 펴지는, 데일 정도로 솔직하게 차가워졌다가 뜨거워지기도 하는, 무엇이든 담아서 오랫동안 보존하는 캔의 속성이 연희에게 너무나 잘 어울렸다.

오랫동안 연희의 시를 읽어 왔다. 연희의 문장들은 역동적이고 거침없는 기관차처럼 질주한다. 이미 내릴 역을 지나친 기분으로, 돌아가는 지구를 뛰어내릴 수 없는 기분으로, 화자는 선로 위에 서 있다. 아마 기관차의 연료는 슬픔일 것 같다. 앞으로 나아가는 열차처럼. 연희는 솔직하다. 연희의 시도 솔직하다. 시는 시인을 닮는다. 저 아래부터 모아진 둥근 모양의 비애가 느껴진다. 때로는 파괴적인 악동이 등장하는 느와르 같고, 때로는 혼자 살아남은 아이가 두리번거리며 애착 인형을 끌고 다니는 디스토피아 같다. 누군가의 그림자, 혹은 뒷모

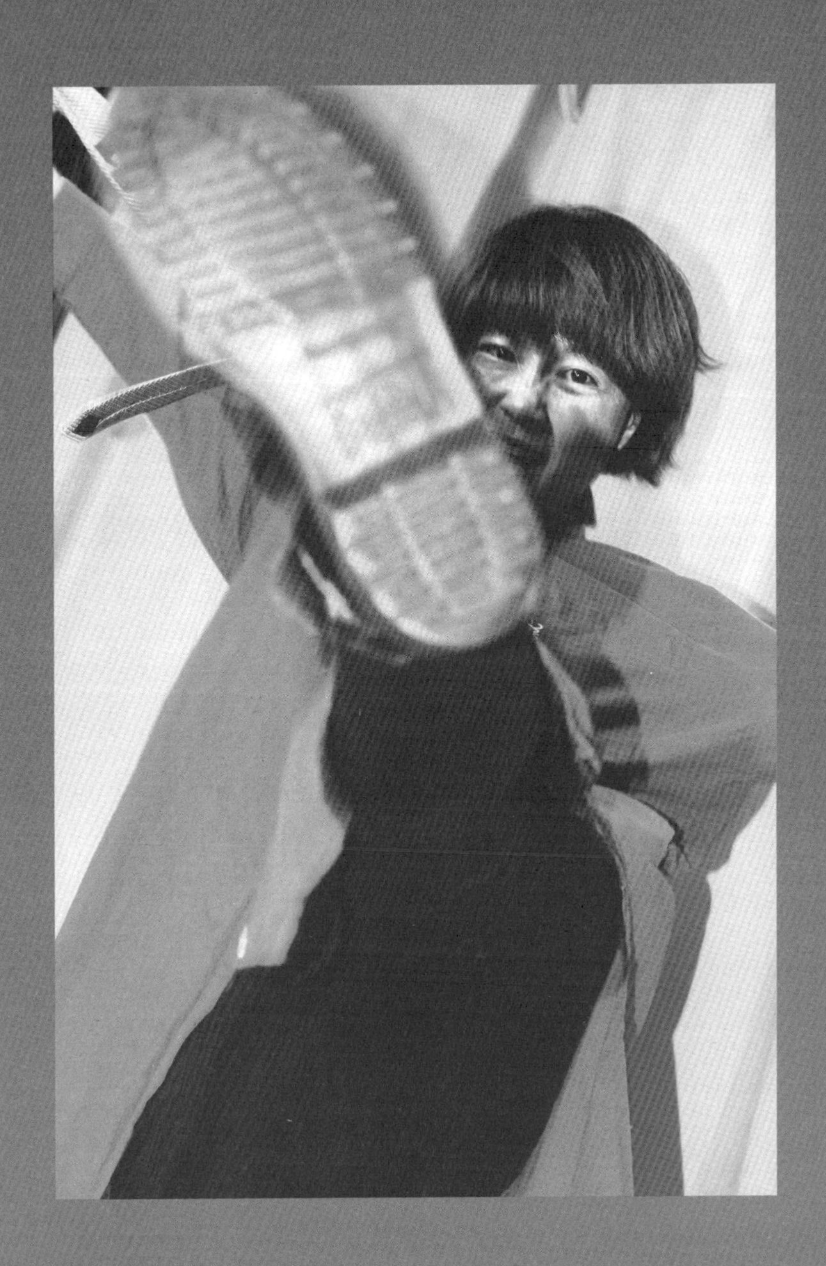

습이 보이면 그 사람을 사랑하는 거라고 했다. 연희가 데려오는 화자들을 꼭 안아 주고 싶다. 알지 못하는 연희의 어린 시절로 타임 리프해서, 어린 연희와 같이 놀고 싶다. 얼음땡도 하고, 흙바닥에 그림도 그리고, 불량 식품도 나눠 먹고, 몰래 담벼락을 넘고 싶다.

내가 아는 연희. 겨울을 좋아한다. 폭설이 내려 고요해지는, 흐르는 기분이 투명하게 얼어붙는 겨울을 좋아한다. 함박눈 내리던 날, 연희가 보내왔던 낭독 영상을 기억한다. 내가 아는 연희. 세상의 모든 고양이를 좋아한다. 콧수염을 좋아한다. 세상의 모든 버섯을 좋아한다. 극장에서 영화 보기를 좋아한다. 선물 포장을 좋아한다. 막걸리를 좋아한다. 그림책을 좋아한다. 오롯이 혼자인 시간을 좋아한다. 귀여운 배지와 스티커를 좋아한다. 초록을 좋아한다. 그러나 내가 모르는 연희. 아직 많이 있다. 나는 연희를 몰라서 더 좋다. 영원히 알 수 없을 연희의 이면들을 알아 갈 수 있어서 좋다.

'저 언니는 누구지?'

나는 다시 생각한다. 내가 아는 연희가 매일 새롭게 생겨난다. 지난날에는 사진작가 '파란피(PARANPEE)'로서 내가 보는 연희를 담아냈다. 흑백 속에서 꿈틀거리는 초록, 파랑, 노랑의 색감들을 본다. 연희의 자유로운 몸짓과 표정들로부터 알 수 없는 해방감을 느꼈다. 연희의 표정들. 장난기 어린, 호탕하게 웃는, 조금은 새침하고 새초롬한, 기대하는, 놀라는, 사랑하는, 커튼 뒤의 세계로 초대하는 표정. 피사체를 담아낼 때, 카메라 렌즈를 통해 또 다른 나를 본다. 그날, 스튜디오의 호리존에 선 연희는 또 다른 나의 허물이었다.

다가올 우리의 생일에는, 함께 초를 불고 싶다.

환한 햇빛 아래에서도 환대받는, 다만 충만한 봄의 얼굴로.

검정으로 가득 찬 세상. 오염되고 남루해진 세상에서 기쁨은 어둠 속에서도 삶이 빛날 수 있다는 것을 느끼게 해준다. 기쁨의 렌즈로 세계를 바라볼 때, 사소한 일들도 의미 있는 경험으로 바뀔 수 있다. 기쁨은 삶을 최대한의 능률로 끌어올릴 수 있는 치트키이다. 기쁨은 우리의 몸과 마음을 거부할 수 없는 온기로 채운다. 기쁨을 느끼면 슬로우 모션에 걸린 것처럼 세상은 느려지는 듯하고, 모든 디테일이 살아나며 생생한 감각을 느끼게 해준다. 뿌옇게 보이던 세상이 금세 선명해지는 것이다. 나무들의 싱그러운 풀 냄새는 더욱 향기로워지고, 하늘의

28.8C

빛이 투명하게 보이며, 사랑하는 사람의 숨소리는 자장가 같다. 마치 전 세계가 트루먼 쇼처럼 작전을 꾸며 완벽한 기쁨을 만들어 내는 것처럼.

가족이라는 단어가 주는 감정은 늘 따뜻하지만은 않다. 상황에 따라서는 까끌까끌함, 떫음, 아릿하고 비릿한 맛까지 느껴진다. 물론 나에게도 그렇다. 하지만 오늘의 주제는 기쁨이 아니던가. 메뉴는 무려 생크림 케이크가 아니던가. 케이크 절망편이 궁금하다면…… 혼자서 써봐야겠다. 그러나 적어도 지금은, 나에게 있어 가족이란 따뜻함이다. 가족은 포용하는 존재다. 종종 귀찮고 밉고 이해할 수 없다가도 결국 너그럽게 안아 주는. 서로의 다름을 인정하고 받아들이는. 내가 유일하게 발 뻗고 잘 수 있는 곳. 내가 돌아갈 곳이자 튼튼한 울타리이다. 그 울타리가 부서질 수도 있지만, 함께 일으켜 세우고 보수 공사하면 그만이라는 믿음이 있다.

누구나 어떤 형태로든 가족이 될 수 있다. 누구나 어떤 방식으로든 연결될 수 있다. 나의 꿈 중 하나는 새로운 가족을 만드는 것이다. 기존의 질서와 형식에서 벗어난 구성원도 좋고, 상황이 허락한다면 나를 닮은 아이와 함께여도 좋다. 그리고 앞으로 가족이 많아지고 싶다. 왜 이런 꿈을 꾸게 되었냐면, 앞서 밝혔듯 가족은 내게 'Delight' 그 자체인 빛이고 따뜻함이기 때문이다. 그러므로 넓은 의미에서 바라봐도 좋겠다. 맛있는 케이크를 구우면 언제라도 놀러 와 함께 나눠 먹을 수 있는 가족. 반드시 닮지 않았더라도, 꼭 가까이 있지 않더라도 우리는 가족이 될 수 있다. 지면 메타버스에서 당신과 만날 수 있어서 기뻤다. 이제 티타임은 끝났다. 포크를 내려놓고, 입 안에 남은 기쁨의 맛을 음미해 보자.

아, 환하다.

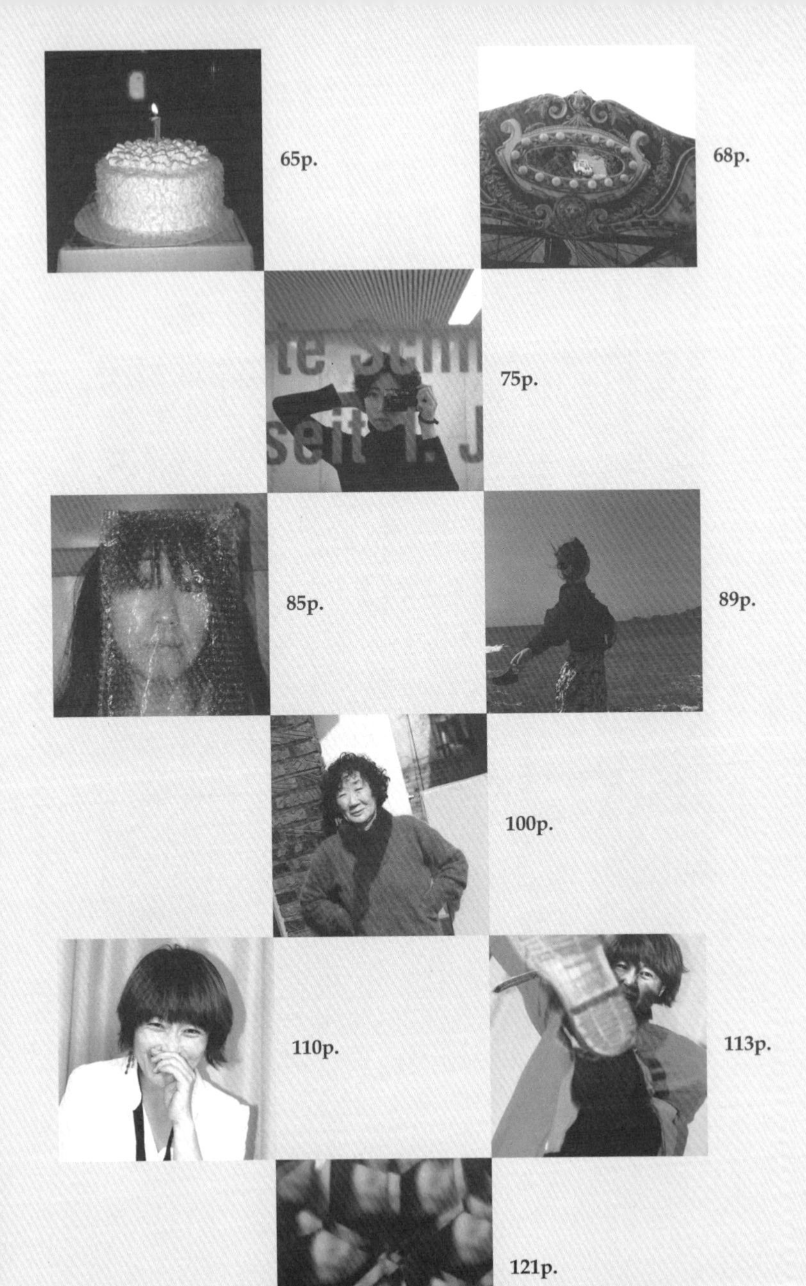
65p.
68p.
75p.
85p.
89p.
100p.
110p.
113p.
121p.

72p.

73p.

78p.

92p.

95p.

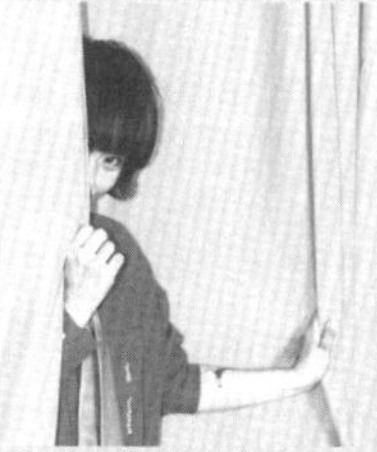

109p.

117p.

118p.

Sorrow

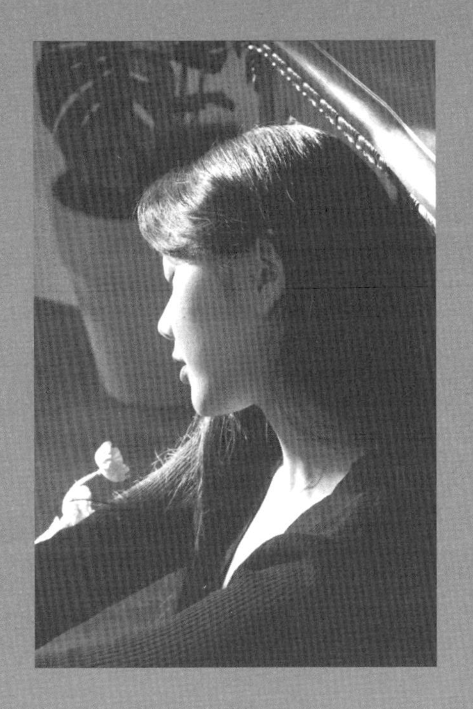

한소리

대개 우울하고 자주 울지만 용감해지려고 노력하는 사람.
시와 산문을 쓰고 주로 인물 사진을 찍는다. 『베개』 6호에 사진
에세이를 실었으며, 저서로는 『우리끼리도 잘 살아』가 있다.

검색창

슬픔에 대해 생각한다. 나는 자주 공상하고, 추상적인 무언가를 직접 느끼고 싶은 욕망에 취해 있으니까. 그러나 슬픔에 대해 너무 오래 생각해 온 탓일까. 나는 슬픔을 객관적인 의미로 해석할 능력을 상실했다는 사실을 깨달았다.

결국 노트북을 켜서 포털 사이트에 접속했다. 그리고 검색창에 슬픔, 이라고 적어 보았다. 뭐라고 나올까. 그 누구도 슬픔을 하나로 정의하기는 어려울 테지. 하지만 내가 해온 고민이 무색하게도, 검색 엔진은 내가 찾고자 하는 정보를 순식간에 가져와 내 앞에 늘어놓았다.

"슬픔은 인간이나 동물 등 생명체가 어떤 불쾌한 상

황이나 손실을 경험할 때 나타나는 감정 중 하나다."

나는 굳이 검색 결과를 소리 내어 읽어 본다. 불쾌함과 손실. 그리고?

"탈력감, 실망감이나 좌절감을 동반하고 가슴에 맺히는 등의 신체적 감각과 함께 눈물이 나오고, 표정이 굳어지며, 의욕과 행동력이 저하된다."

확실히 나는 자주 실망하고 자꾸 좌절하는 사람이었다. 누군가 억지로 입을 틀어막은 것처럼 숨 쉬는 게 답답했고, 할 수 있는 일이라곤 카펫처럼 엎드려 가만히 전자 담배를 물고 피워 대는 일뿐이었다.

"일반적으로 사랑, 우정, 의존의 대상이 없어졌을 때 나타나는 것으로 알려져 있으며, 대상이 자신과 관계가 강할수록 깊은 슬픔이 찾아오는 것으로 알려져 있다."

그랬다.

이것들은 확실히 내가 자주 감내하는 감정이 맞다. 모니터 액정에 내 얼굴이 비친다.

발견

어떻게 해야 이 감정을 타인에게 전달할 수 있을까. 그런 생각을 하며 내가 카메라를 만지작거린다. 장소는 어느 스튜디오, 주로 두 시에서 네 시 사이의 시간이다. 이런 날은 대체로 날씨가 좋고, 내 앞에는 처음 만나는 이가 마주 서 있다. 우리는 완벽히 초면이다. 그는 모델로 이곳에 왔고, 나는 그를 찍는 사람으로 이곳에 왔다.

이런 느낌을 담고 싶어요.

촬영 전, 카톡으로 미리 전송한 레퍼런스를 보고 온 그에게서는 내가 원하는 느낌이 물씬 났다. 설령 그가 레퍼런스를 보고 오지 않았더라도, 아마 그는 내가 원하는 느낌을 갖추고 있었을 거다. 이 모델이 가진 고유한 분위기, 아무리 비슷한 사람을 데려와도 대체 불가능할, 어쩐지 쓸쓸한 느낌 때문이다. 그게 내가 초면인 그와 어색하게 마주 보고 서서 촬영 버튼을 연신 눌러 대는 이유였다.

이제 뭘 하면 되냐는 눈빛으로 나와 카메라 렌즈를 번갈아 보는 그에게, 나는 불쑥 이런 말을 꺼냈다.

"음…… 그러니까, 저는 함께 슬퍼지고 싶은데요."

하나의 이미지를 보고 누군가는 기뻐하고 누군가는 슬퍼하고 누군가는 그립다고 느끼는 거 말고요. 이왕이면 우리 앞에 여러 개의 이미지가 놓여도 그걸 바라보는 우리가 같은 슬픔에 빠졌으면 좋겠어요. 그 감정 말고는 자유롭게 있으셔도 돼요. 그냥 아무거나요. 주변을 구경하거나, 눈을 감고 명상하거나, 저에게 말을 걸어도 돼요. 노래를 들어도 좋고, 담배를 피우고 싶다면 피워도 좋아요.

아직 궁금증이 다 가시지 않은 얼굴로 나를 바라보는 그, 고개를 갸우뚱하며 골똘히 생각하는 표정의 그,

시선을 조금 옮겨 천장에 달린 조명을 바라보는 그, 눈이 부셨는지 손차양을 만들어 이마에 갖다 대는 그, 무언가 말하려다 말하지 않으려고 다짐한 순간 움찔거리던 입술을 가진 그, 머리카락을 쓸어 올리던 커다란 손과 무게 실린 발을 가진 그, 한순간도 놓치지 않겠다는 듯이 내가 그의 주변을 배회하며 수십 또는 수백 사진을 찍어 낼 때, 그럴 때,

발견의 순간이 온다. 무심하게. 이런 시간을 갖지 않았다면 영영 모르고 있었을 그 사람의 표정과 얼굴, 흐릿하게 떠오르는 무언의 감정, 오직 나만이 포착해 낸 그 짧은 순간이 중복 없는 데이터 파일로 변환되어 선명하게 각인된다.

"방금 굉장히 슬펐어요. 정말로요."

내가 말한다.

우리들

어릴 적 나는 자신의 슬픔을 들여다보는 방법에는 서툴렀지만, 다른 사람의 슬픔에 공감할 수 있는 능력이 있었다. 다른 사람들의 이야기를 듣고 공감하며 나의 경험을 넓히는 데에 집중했었다. 그런데 이제는 내 안에 쌓인 슬픔이 너무 커졌다는 것을 느끼고, 다른 사람들의 슬픔에 대한 공감이 더 이상 가능하지 않았다.

왜 이렇게 된 걸까.

나는 혼자에 익숙했다. 혼자 있는 것은 당연한 일이야. 오히려 누군가와 함께하는 것이 특별한 일이지. 이것은 외로움을 쉽사리 감당치 못하는 나를 혼내기 위해 꾸준히 세뇌해 온 주장이었다. 그러나 결과적으로 이런 생각은 나에게 부정적인 영향을 끼쳤고, 예상했던 것보다 속수무책으로 밀려오는 외로움에 나는 파도에 휩쓸리듯 잠겨 숨 쉬기조차 힘들어졌다. 그 외로움은 지독히도 불쾌했고, 세상 사람들 다 잘만 사는데 나 혼자 끙끙대는 것처럼 느껴졌다. 나는 이것을 슬픔이라고 불렀고,

누군가와 함께 있으면 슬퍼져.

종종 함께하는 사람이 나에게서 떠나가는 상상을 했다. 일어나지도 않은 일을 혼자 앞서서 걱정하고 불안해하는 거다. 상상 속에서 그들은 대개 비슷한 표정이었고, 꽉 물었다 벌어지는 입술과 찌푸려지는 미간이 말하지 않아도 나에게 전해지는 말이었다. 이런 말을 들으면 타인은 늘 "나는 너를 떠나지 않을 거야. 하지만 반대로 네가 나를 떠나게 될 수도 있겠지."라고 말하곤 했는데, 그건 내 생각 바깥에 있는 선택지였으므로 나는 굳건히 고

개를 저었다. 누가 떠나는 것인지는 전혀 알 바가 아니었으니까. 오직 혼자인 나와 타인이 만나서 생겨난 '우리'가 더는 함께할 수 없게 된다는 사실, 그 자체가 나는 끔찍이도 싫었다.

대기실

“정신병이 있어요. 약을 먹지 않으면 일상생활이 불가능하고요. 만성이 되어 버린 우울증은 내 등에 빈틈없이 달라붙어 도무지 떨어질 줄 모르고 있습니다.”

이 말로 나를 소개한 지 벌써 7년이 되었다. 시작은 사회생활로 인한 좌절감과 대인기피증이었다. 그것은 곧 공황장애와 우울증, 불면증 등으로 변해 꾸준하게 나를 괴롭혀 왔다. 이미 내 책에서도, 연재했던 칼럼이나 메일링에서 우울증에 대해 꾸준히 언급한 바 있기에 우울증이 어떤 형태인지에 대한 설명은 생략하려 한다. 확실한 건, 내 슬픔과 우울증은 분명 관계가 있다는 사실이다. 예를 들어 보자면,

의자. 그래, 나는 의자를 보면 슬펐다.

이런 말을 하면 친구들은 의자가 슬픈 게 대체 무슨 뜻이냐며 웃었지만, 나에게 의자는 안락한 휴식이나 안정을 취할 수 있도록 만들어 주는 도구가 아니었다. 단지 끝없는 기다림과 지겨움, 슬픔과 분노라는 감정을 극대화하고 연장하는 고문이었다.

지금도 의자에 오래 앉아 있으면 가슴이 두근거리고, 꼭 담에 걸린 것처럼 몸이 뻣뻣하게 굳는다. 책상에 앉아 일을 해야 하는 나에게는 치명적인 증상이다. 그리고 이것은 몇 년 전 병원에서의 경험으로부터 비롯되었다.

대학 병원에 진료받으러 다니던 시절, 나는 삼 주에 한 번꼴로 약 처방을 위해 병원에 방문했다. 병원은 예약제였고, 도착하니 벽걸이 모니터에 내 이름과 순번이 떠 있었다. 나는 대기실 의자에 앉아 내 차례를 기다렸다.

예약을 해도 두 시간을 기다려야 하는 걸 알고 있었기에 읽을 책을 챙겨 왔지만, 당시 나는 책 읽을 기분이 영 아니었다. 내 차례가 빠르게 오지 않는 것에 대한 분노가 서서히 차올랐고, 시간을 한심하게 낭비하고 있다는 생각에 몰입하여 글자는 눈에 들어오지도 않던 까닭이었다. 아이러니했다. 우울증 때문에 병원에 방문했건만, 지나치게 긴 대기 시간으로 인해 우울증이 극도로 악화하는 상황이라니.

부정적인 기분에 휩싸여 불안해진 나는 앉은 자세를 막 바꿔 가며 산만하게 행동했다. 기지개를 켜기도, 다리를 쭉 뻗었다 교차하기도, 무릎을 끌어안기도, 의자에 기대어 몸을 축 늘어트리기도 했다.

주변엔 나와 같은 사람들이 많았다. 의자에 앉아 끊임없이 기다리는 사람들. 이런 상황에 그런 생각을 한다니 바보 같지만, 나는 꼭 우울한 표정 짓기 대회에 출전한 사람 같았고, 이곳은 병원이 아닌 넓은 잔디밭이거나 공터로 느껴졌다. 한자리에 모여, 똑같은 의자에 앉은 조건으로 시작되는, 가장 우울한 사람이 이기는 게임. 언젠가 비슷한 느낌의 소설 대목을 읽은 적이 있었다. 사라진 아내를 찾으러 하와이의 해변에 앉아 있던 남성을 보고,

다른 남성이 건넨 말이었다.

"어쩐지……."

"네?"

"해변에 있는 사람들 중에 가장 우울하게 보이더라고."*

누가 이겼을지는 모르겠다. 그러나 나를 포함한 사람들 모두 지나치게 오래 앉아 순서를 기다렸고, 결국 세 시간이 지나서야 진료를 받을 수 있었고, 점심에 외출했던 나는 저녁이 되어서야 귀가했다.

이후로 나는 의자에 앉길 기피하면서, 반대로 의자에 앉아 있는 사람의 표정을 관찰하는 버릇이 생겼다. 어떤 자세로 앉아 있는지, 어떤 행동을 하며 어떤 표정을 짓고 있는지. 어떤 심정일까 궁금해하다가도, 그 의자에 얼마나 많은 사람이 왔다 갔을지 상상해 본다. 머물렀다 떠나고 남겨지는 의자들. 누군가에게는 휴식이 되고 누

* 서진, 「해피 아워」, 『호텔 프린스』, 은행나무, 2017.

군가에게는 고문이 될 의자들. 누군가에게 가장 날것의 표정을 제공하는 의자들. 어쨌거나 우리에게 꼭 필요한 의자들. 나는 꼭 그게 나라도 된다는 듯이 측은한 마음을 품었지만, 의자가 단순한 사물이 아니라 장소라고 생각해 보면……

의자는 꽤 쓸쓸한 곳이라고 생각했다.

의자

당신은 어디에나 앉아 있다. 앉은 당신 위로 당신이 하나 더 앉을 때도 있다. 그것은 면적 때문이고 외로움 때문이다. 그러니 외로움의 면적을 재서 당신을 맞출 수도 있다. 돈만 있으면. 당신은 다양하지만, 눈으로 구분할 만큼 차이가 크진 않다. 그러나 원하는 사람은 당신을 분류할 수도 있다. 돈만 있으면. 그놈의 돈, 돈, 돈. 돈이 있으면 당신을 살 수 있을 때 돈이 없어서 당신을 파는 사람이 있다. 누군가는 당신을 집 앞에 내놓아 버리기도 하고, 다른 누군가는 당신을 조용히 주워 가기도 한다. 그러니까 당신은 굳이 돈 없이도 얻을 수 있다. 그래서 당신은 앉아 있다. 그냥 앉아. 앉아 있으면 다 알아서 해줄 거야. 당신은 말을 잘 듣는다. 당신은 바르게 자랐다. 하지만 당신은 누군가에게 화낼 수도 있었다. 생각해 봐, 네가 얼마나 큰 잘못을 했는지. 그런 말을 들을 때마다 당신은 딱딱해진다. 당신은 하기 싫어도 해야 한다. 숙제처럼. 당신이 되기 싫어도 되어야 하는 것과는 다르다. 당신은 당신이 되려고 태어났으니까. 당신은 가끔 맞는다. 누구에게? 모른다. 무엇으로? 모른다. 언제 맞을지도 모르면서 당신은 어디에나 앉아 있다. 앉은 당신 위로 당신이 더 앉지 못할 때도 있다. 당신은 스스로 죽을 수는 없지만 스스로 살 수도 없다. 하지만 당신은 종종 죽었다 태어난다. 어디든지 앉아서 상상하고 잠을 자다 가끔 맞는다. 당신이 쓰러진다. 우연히 그 앞을 지나가던 자가 쓰러진 당신을 일으켜 앉힌다. 당신 바깥으로 예고 없던 비가 내린다.

공 가
- 무단출입시 형사고발 조치함 -
- 경고문 -
본 건물은 재개발사업으로 인하여 철거공사가 진행
되는 건물로 무단출입하거나 쓰레기투기, 경고문훼손
등 불법행위를 하다 적발될 시에는 형법 제319조
(주거침입 · 퇴거불응)에 의거 3년 이하의 징역 또는
500만원 이하의 벌금에 처해지거나, 폐기물 관리법
제68조(과태료)에 의거 과태료가 부과될 수 있습니다.
또한 무단출입을 하여 발생한 안전사고 및 기물파괴의
책임은 사고자(사고유발자)본인에게 있으므로 주의
하여 주시기 바랍니다.
가재울6재정비촉진구역 재개발정비사업조합장
공 가
- 무단출입시 형사고발 조치함 -
- 경고문 -

루틴

말과 다르게 숨길 수 없는 진실이 있다. 마치 웃고 있지만 슬퍼 보이는 표정처럼. 그 사람의 일상을 알 수 없어도 문 앞에 남긴 쓰레기를 보면 최근에 뭘 했는지를 알 수 있는 것이다.* 나는 최근 올해를 통틀어 가장 많은 쓰레기를 배출했다. 대개 택배 박스이거나 배달 음식 용기들. 혹은 얼음이 녹아 반쯤 물이 찬 커피 컵들이었다. 아니면 모아 놓은 수많은 담배꽁초이거나. 바닥에는 옷가지와 의자가 쓰러져 굴러다녔고, 지난한 내가 좁고 어지

* 왕가위 감독의 영화 <타락천사> (1995).

러운 방 안에서 하는 유일한 일은 '루틴 고양이'였다.

나는 오직 고양이만을 위해 하는 행동들을 '루틴 고양이'라고 불렀는데, '루틴 고양이'에는 똥 치우기부터 모래 교체, 밥그릇 씻고 사료 채우기, 물그릇 소독하는 일까지 전부 포함되었다. 아쉽게도 사흘에 한 번씩 주는 간식은 '루틴 고양이'에 들어가지 않았다. 내 고양이들이 쉽게 살이 찔까 봐 겁이 나고, 비만으로 인해 병들어 나에게서 조금이라도 더 빨리 떠나갈까 봐 두렵기 때문이다. 그래서 스트레스를 받는다는 발톱 깎기도 최대한 늦게 깎으려 노력하고 있었다. 비록 날카로운 발톱이 나를 할퀸대도.

'루틴 고양이'가 끝나면 나는 언제 움직였냐는 듯 침대에 드러누워 시체처럼 있다. 굳이 다른 점은 숨을 쉬고 있다는 점이나 눈을 깜빡이고, 두 손으로 고양이를 쓰다듬을 수 있다는 것. 디디야, 이름을 부르면 고양이의 검은 눈동자에 내가 담긴다. 금방이라도 울 것 같은 표정이다. 이럴 때마다 위로하듯 내 몸에 올라와 몸을 둥그렇게 말고 잠든 고양이는 가끔 좀 캡틴 같다. 그들의 우두머리

는 내가 아니다.

선크림을 바르지 않는 여자. 선크림은 그렇다 치고 기초 스킨로션도 바르지 않는 여자. 화장도 안 하는 여자. 그런 얼굴로 햇볕 쬐는 여자. 자외선에 그대로 노출되는 여자. 점이 많아지는 여자. 어느 각도에서 바라보든 꼭 점이 보이는 여자. 내가 그런 여자가 된 이유는 뭘까 한참 생각한 적이 있다. 귀찮음? 귀찮긴 하지. 점이 좋아서? 그건 좀, 단정하지 않다고 생각한다. 하지만 옛 애인들은 내 얼굴에서 점을 발견할 때마다 기쁜 기색이었다. 언니 얼굴에는 점이 많아. 그치. 이거 하나 빼고 다 새로 생긴 거야. 빼려고. 아니야, 빼지 마. 매력점이야. 고작 이게? 나는 언니 점 좋아. 이거 봐 봐. 여길 이으면 꼭 별자리 같다. 내게 늘 세심하고 다정했던 사람들. 새삼 고맙다. 이런 것도 추억이 되는군.

우린 매일 사람들과 스쳐 지나간다. 그들은 나의 친구가 될 수도 있다. 그런 것 때문에 나는 언제나 낙천적인 성격을 갖고 있다. 가끔 감정에 상처받기도 하지만 상관없다. 즐겁기만 하면 된다. 오늘은 스크린 숏 앨범을 뒤적거리다 내가 썼던 일기를 발견했고, 나는 그 일기를 썼던 내가 무척이나 낯설게 느껴졌다.

'나는 오늘을 살고 싶어. 꼭 내일 죽는 사람처럼. 오늘을 행복하게 살겠어.'

나는 이 문장이 보이는 액정 위를 검지로 두 번 두드렸다. 그러자 오늘이라는 단어가 커졌다가 작아지기를 반복했다. 나는 그것이 시간이 지나면 내일도 오늘이 되는 것과 아주 비슷하게 느껴졌다. 오늘도 오늘. 내일이 내일이 되어도 오늘. 다음 주가 다음 주가 되어도 오늘. 한 달이 한 달 뒤가 되어도 오늘. 그렇게 영영 오늘.

그러나 오늘을 행복하게 살겠다는 다짐이 그대로 실천되는 거였다면 나는 꾸준히 정신과를 다니지 않았을 것이고, 약을 먹지 않아도 빠르게 숙면할 수 있었을 것이다. 자주 슬퍼하거나 텅 빈 몸과 마음을 갖기 위해 억지로 울 방법을 찾아다니지도 않았을 거다. 그러므로 오늘은 자주 최악이 되고, 어쩌면 최악이 아닌 오늘은 다신

오지 않을 수도 있다. 이 기분은 희망과 절망 사이를 오묘하게 왕복한다. 나는 한 올의 실 위에서도 잘 걷는다.

✦

요즘 자꾸 다친다. 내가 왜 이렇게 자주 다치는지 모르겠다. 총알을 빼낼 때마다 내 모습이 슬프게 느껴진다던 짐 자무시의 영화가 떠오르는 요즘이다. 그 영화에는 주인공 아담이 지닌 오래된 기타와 유일하게 자신을 죽일 수 있는 도구인 총알이 잠시 등장한다. 기타와 총알. 이 둘은 아무런 관련이 없는 것처럼 보이지만 실은 아주 가까이에 있고 어쩌면 동일하다. 기타를 만드는 오래된 나무로 총알을 제작하기도 한다는 거다. 그리고 그 나무 총알만이 불사신인 주인공 아담을 죽일 수 있다.

아담의 눈빛과 입술, 미간과 볼의 색깔과 모양을 관찰하고 있다 보면 그의 마음이 죽음에서 삶으로, 삶에서 죽음으로 움직이며 요동치는 것을 느낄 수 있다. 모든 걸다 가진 듯한 사람만이 지을 수 있는, 욕망이 다 빠져나간 얼굴. 이런 걸 보면 삶과 죽음은 참 어렵다. 나를 살게 만드는 존재가 나를 죽이는 존재가 될 수도 있다는 게. 또 모든 일이 자신의 의지대로 되지 않는다는 게. 실은, 오늘 아주 위험한 장면이 내게도 한 컷 있었다. 퇴근하고 인근 지하철역으로 걸어가고 있는데 옆에서 차 한 대가 무섭게 돌진해 오는 거다. 내가 검은 롱코트를 입고 있어서 나를 보지 못했던 것 같다. 다행히 차는 내 앞에서 멈추었고, 덕분에 사고가 일어나지는 않았지만 다리 힘이 풀리는 바람에 크게 넘어졌다. 아팠다. 집에 와서 확인해 보니 보기 싫은 멍이 무릎 부근에 피어 있었다.

있지, 여기 좀 봐. 내가 아까 거리에서 크게 넘어졌는데, 무릎 부근에 멍이 든 거 있지. 점점 아파. 바지를 걷어 올리고 투정 부리고 싶은 마음으로 멍 자국을 엄지로 꾹 누른다. 아픔이 뭉근하게 전해져 온다.

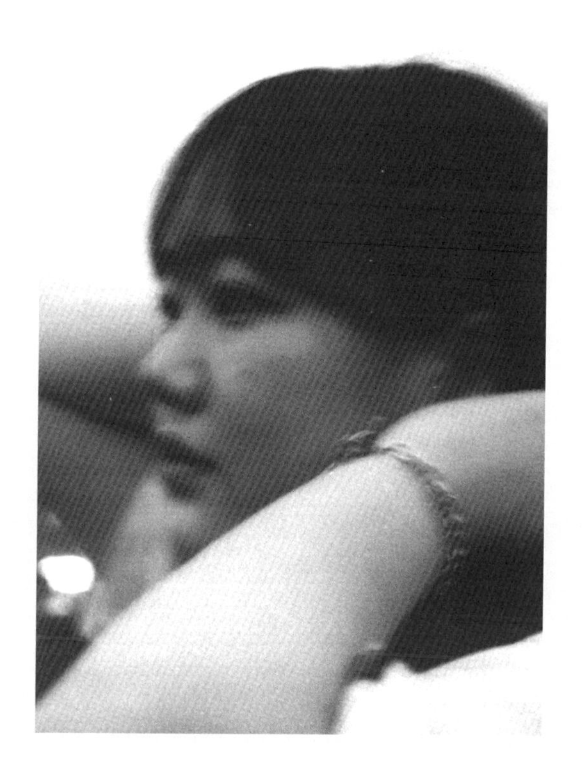

역할

하고 싶은 걸 하면서 살아.

나도 그렇게 하고 싶었습니다. 하고 싶은 걸 하면서 살고, 하기 싫은 건 하지 않으면서 살고 싶었습니다. 이를테면 날씨가 좋아 회사나 학교를 빠지고 피크닉을 간다거나, 기분이 좋으면 좋은 대로 나쁘면 나쁜 대로 구실을 만들어 술에 만취해 고꾸라져 잔다거나, 좋아하는 작가의 오프닝 리셉션에 참가해서 당신 사진이 얼마나 대단하고 훌륭한지 술에 취해 모조리 털어놓고 싶었습니다.

그런데 사실 이런 건 별거 아닙니다. 크게 돈이 드는 것도 아니고 꿈같은 일 또한 아니거든요. 하자면 할 수 있었습니다.

하지만 나는 실패했어요. 내가 하고 싶은 것이 무엇인지 아는 데만 오랜 시간이 걸렸고, 하고 싶은 걸 하기 위해 감당해야 할 수많은 일들을 정리하는 데 사계절을 보냈습니다. 이제는 드디어 하고 싶은 걸 하면서 살 수 있을 줄 알았는데요.

막상 생각해 보니, 산다는 게 대체 무엇인지 하나도 이해할 수 없었습니다. 애초에 산다는 말이 왜 있을까 의문스러웠습니다. 우린 기본적으로 살아 있으니까요. 그런 생각이 들자, 나는 버릇처럼 다시 중얼거리기 시작했습니다.

씨발, 별걸 다 생각하고 앉았어…….

얼마 전 퇴사를 했습니다. 계획에 없던 일이었어요. 애정이 깊어 더 오래 다닐 심산이었는데, 아무래도 회사 내부에 문제가 생긴 모양이었습니다. 그래도 좋게 끝내고자 마음먹었는데 일은 자꾸만 나쁜 쪽으로만 진행되었고, 그 과정에서 나는 많은 힘과 시간을 소모해야 했습니다.

서로에 대한 비아냥으로 가득했던 회의실을 박차고 나오는데, 문득 이런 생각이 들었습니다. 나한테 왜 이러는 걸까. 내가 뭘 잘못했지? 아무리 곱씹어도 내가 잘못한 일은 없었습니다. 그런데 잘못하지 않은 일의 책임은 내가 져야만 하는 상황이라니. 억울해서 눈물이 나왔습니다. 꾹 참고 건물을 나섰어요. 지하철을 타고 집으로 가는 길에서도 내내 회사 생각을 떨치지 못했습니다.

역에서 나오니 비가 내리고 있었습니다. 비 온다는 소식은 없었는데. 나는 일기 예보를 챙겨 보는 사람이 아니었기에 우산이 없었죠. 그냥 머리를 푹 숙이고 거리를 걸었습니다. 그때 내 머릿속은 슬픔으로 가득 차 있었어요. 분명 비를 다 맞고 있는데, 빗물이 땅으로 떨어지지 않고 내 안에 고이는 느낌.

무언가가 내 발끝에 걸렸고, 살펴보니 그것은 투명한 비닐우산이었습니다. 우산을 주워 펼쳤는데, 우산살이 비닐을 찢고 사방으로 튀어나왔어요. 이미 망가져서 누군가 일부러 버리고 간 우산이었습니다.

나는 그 우산을 다시 버리는 대신, 우산살이 튀어나온 상태로 우산을 쓰면서 집으로 향했습니다. 당연히 우산의 역할은 모조리 배제되었죠. 우산살 사이로 불투명한 하늘이 보였습니다. 그 하늘에서 비가 쏟아지고, 나는 쏟아지는 비를 맞고 있었는데 문득 이런 생각이 드는 겁니다. 우산살을 감당하지 못할 정도로 얇고 헐렁이는 비닐의 잘못일까, 아니면 비닐우산에 쓰이기엔 월등히 견고하여 멋대로 뚫고 펴진 우산살의 잘못일까.

나는 공상가입니다. MBTI로 따지면 N에 속하죠. 그래서인지도 모르겠습니다. 나는 하등 쓸모없는 생각에 자주 과몰입하여 온갖 사물과 사물이 처한 상황에 나를 빗대거나 욱여넣기도 합니다. 그래서인지 나는 찢겨 나간 투명 비닐에 나를 투영하다가도, 투명 비닐을 찢고 나간 우산살에 지극히 공감하기도 했습니다. 아무렴 뭐 어때. 어차피 우산은 망가졌고 비닐은 찢어졌으며 우산살은 보기 흉하게 사방을 찌르고 있는데. 이런 생각을 하니 한결 마음이 편안해졌습니다. 퇴사하게 된 게, 원만하게 끝내지 못한 게, 그 과정에 많은 힘과 노력을 쏟아부어 지쳐 버린 게, 더 이상 화나지 않았습니다.

집으로 가는 동안 투명한 비닐 너머로 지나가는 사람들을 바라보았습니다. 모두 멀쩡한 우산을 들고 있었습니다. 어쩌다 눈이 마주친 사람들은 흠뻑 젖은 나를 보며 경악했습니다. 제정신이 아니군! 꼭 그렇게 소리치는 것 같았습니다.

쫄딱 젖어 귀가한 나를 보고 놀랄 사람은 없습니다. 혼자 살고 있으니까요. 대신 두 마리 고양이들이 나를 반겨 줍니다. 가끔 고양이들은 내가 언제 올지를 정확하게 알고 있는 것 같습니다. 나는 시계 없이는 시간을 가늠할 수 없는데, 고양이들은 어떻게 시간을 알아채는 것일까요? 고양이가 입을 길게 찢으며 하품합니다. 곧 사료 그릇을 채울 시간인가 봅니다.

내일도 비가 온다고 했습니다. 막 씻고 화장실에서 나온 나는 신발장을 열고 우산을 하나씩 펴보았습니다. 매번 우산을 챙기지 않아 편의점에서 싼 우산을 급히 사야 했으므로, 집에 있는 우산은 죄다 투명한 우산이었어요. 그런데 헛웃음이 나왔습니다. 집에 있는 우산 세 개 모두가 망가져 있는 거예요. 아까 내가 거리에서 주운 우산과 다를 바 없었습니다. 만약 일기 예보를 보고 미리 우산을 챙겨 갔어도 나는 비를 맞으며 집에 왔을 겁니다. 아니면 망가진 우산을 버리고 간 사람이 될 수도 있겠죠.

이런 일들이 소소하게 재밌고, 나는 이상한 곳에서 쉽게 위로받는 사람입니다.

당신은 당신이 되려고 태어났으니까

사진은 한순간이 지나면 사라져 버릴 수 있는 감정과 순간을 영원히 기억하게 해준다. 나에게는 촬영했던 작업물을 꺼내 보며 복기하는 버릇이 있고, 사진을 통해 나는 그 순간을 떠올릴 수 있다. 당시의 향기와 소리, 선명했던 느낌, 반투명하게 포개어지는 여러 가지 표정들. 손 대신 감정으로 쓴 시가 있다면 아마 인물이 담긴 사진일 거라 거듭 확신해 본다.

그러나 사진은 그 순간을 영원히 기억하게 해줄 뿐, 그 순간에서 느꼈던 감정까지 완벽하게 타인에게 전달해주지는 못한다. 누군가에게는 생생하게 전달될 수 있지만, 누군가에게는 어떤 면에서 부족함이 있을 수밖에 없다는 거다.

그래도.

그래도, 내 감정을 이해하려고 노력하는 사람들이 있을 수는 있다. 이를테면 가족이나 친구, 또는 상담사나 전문가 등이 될 수 있다. 감정을 완전히 이해할 수는 없겠지만, 이를 들어 주고 위로하며 나를 돕기 위해 노력하는 사람들이 있을 수 있다. 그들의 다정한 표정은 내가 결코 혼자가 아님을 깨닫게 하고, 슬픔을 이겨 내는 데 큰 도움이 된다. 실제로 내 주변에는 나를 도와주고 위로하며 노력해 주는 사람이 많았고, 지금도 많다. 내가 쓴 책인 『우리끼리도 잘 살아』에는 이런 문장이 나온다.

누군가에게 뜬금없이 사랑한다고 문자를 보냈을 때, '읽음' 표시가 뜨자마자 전화가 걸려 오는 것은 꽤 슬픈 일이다. 적어도 내게는 그렇다. 얼마 전에도 수자에게 "엄마, 사랑해"라고 카톡을 보냈는데 바로 전화가 걸려 왔다. 윤희에게 보냈을 때도 그랬다. 그들은 내가 혹여 죽음의 문턱 앞에 서서 마지막 유언을 남기고 있는 걸까 봐 걱정한다.

이렇듯 그들은 내가 잠시라도 연락 없이 사라지거나 평소 하지 못할 낯부끄러운 고백을 할 때마다 나를 걱정하고 찾아온다. 그들 입장에서는 매우 번거로울 것이며, 그들에게 나는 꽤 심각한 골칫덩이일 거로 생각한다. 하지만 슬픔에 잠겼을 때 나를 도우려는 그들에게 갖는 두 가지 마음. 미안함과 고마움은 행동의 양상이 다르다.

미안함의 경우, 이런 일이 계속될수록 나는 그들에게 한없이 미안해질 거다. 반복되는 상황 속에 그들이 끝내 지치거나 질려 버릴까 봐, 미안함과 동시에 두려움이 생길 거다. 그러면 나는 그들에게 피해 주지 않으려고 무슨 일이 있어도 없는 척, 아무렇지 않은 척 덤덤하게 굴 거다. 연락받지도, 하지도 않으려고 할 거다. 그러다 모두와 멀어지게 되고 나는 변한 것 없이 그대로 혼자 살아갈 거다. 그렇게 된다면 나는 아마 죄책감, 후회나 슬픔으로 가득 찬 표정만을 오래 짓게 되겠지.

반면 고마움의 경우, 이런 일이 계속될수록 나는 그들에게 한없이 고마워질 거다. 반복되는 상황에도 나를 도와주는 그들에게 고마운 나머지 나 또한 그들에게 해줄 수 있는 일에 대해 궁리하게 될 거다. 무슨 일이 있으면 진지한 태도로 그들에게 조언을 구하거나 도움을 요청할 수 있으며, 그들에게 생존 신고 겸 안부 인사를 자주 건네게 될 거다. 조금 멋쩍거나 혹은 개구지게 웃으면서. 미안함이 빼기의 경우라면, 고마움은 더하기의 경우다. 이때 고마움은 그들이 나 때문에 피해를 본다는 두려움의 감정을 조금은 배제할 능력이 있다.

솔직히 말하자면 슬픔을 벗어나는 것은 불가능하다. 아무리 슬픔에서 벗어나려 몸부림을 쳐도, 슬픔은 내가 죽을 때까지 나를 졸졸 따라다닐 속셈이니까. 떼어 내려고 해도 지겹게 들러붙어 있는 슬픔. 그것은 무표정과 같고,

이 말은 곧, 나는 평생 슬픔을 끌어안고 살아가야 한다는 운명에 처했다는 말이다. 원하지 않았지만, 생겨 버린 아이처럼. 바로 나처럼. 그러나 이미 생겨 버린 아이는 어떻게 하나? 의사도 없이 태어난 아이에게는 무슨 잘못이 있나?

결국 아이가 자기 가족임을 받아들이고 자신의 일부임을 인정하는 것. 그로부터 앞으로의 인생을 어떻게 살아갈지, 어떻게 이 아이를 책임지고 키워야 할지 고민하는 것. 그게 부모가 나를 자신의 일부로 받아들이게 된 이유이자, 내가 슬픔과의 동행을 인정하게 만든 이유다.

그리고 나는 지금, 이 글을 쓰며 단 하나의 생각을 떠올린다.

어쩐지…….

나도 누군가에게 징그럽게 들러붙어 있는 거대한 슬픔이었군.

✦

우리 소리는 살아 있는 것만으로도 고마운 애야.

마음이 착하고 여려서 상처를 많이 받아 왔지만, 그래도 열심히 노력하고 있어.

잘하는 것도 너무 많아.

똑똑해서 나를 이해해 주기도, 많은 사실을 새롭게 가르쳐 주기도 해.

그 애가 나를 힘들게 할 때도, 슬프게 할 때도 있지만

여전히 나는 그 애가 살아 있는 것만으로도 행복해져.

걱정 인형

신카이 마코토 감독의 애니메이션 영화 <날씨의 아이>를 무척이나 좋아한다. 이미 줄거리를 알고 있음에도 불구하고 볼 때마다 눈물을 흘리며, 눈물을 흘리는 지점도 매번 오묘하게 달라진다.

<날씨의 아이>는 가출 소년 호다카와 날씨를 맑게 만들 수 있는 능력을 갖춘 맑음 소녀 히나의 이야기다. 히나는 호다카를 만나 "지금부터 하늘이 맑아질 거야"란 말과 함께 거짓말처럼 비가 멈추고 환한 빛이 세상에 내려앉는 것을 보여 준다. 이에 호다카는 히나와 함께 날씨를 맑게 함으로써 사람들에게 희망을 주는 일을 시작하게 되고, 날씨가 사람의 감정에 얼마나 큰 영향을 끼치는

지 깨닫는다.

그리고 여기, 테루테루보즈라는 인형이 등장한다. 테루테루보즈는 일본의 민간 신앙 중 하나로, 둥근 머리와 펄럭이는 몸을 흰 천으로 감아 놓아 공중에 매단 모양새다. 이걸 창가에 매달아 놓으면 비가 멈춘다는 설이 있으며, 국내에서는 '맑음이 인형' 또는 '해나리 인형'이라는 이름으로도 불리고 있다.

✦

엄마에게서 연락이 왔다. 첨부한 사진을 보니 웬 인형 같은 게 수십 개 정도 쌓여 있었다. 이게 대체 뭐냐고 묻자, 엄마는 요즘 걱정 인형을 공장처럼 찍어 내고 있단 말과 함께 웃었다. 그러니까 걱정 인형이 대체 뭔데? 다시 묻는 내게 엄마는 곧 만나서 전해 준다는 말과 함께 연락을 끊었다.

며칠 뒤, 나는 엄마와 여의도의 한 카페에서 만났다. 엄마는 신이 난 얼굴로 백팩에서 파우치 하나를 꺼냈다.

파우치 입구를 풀고 거꾸로 뒤집어 살살 털자, 사진으로만 보았던 인형들이 테이블 위로 와르르 떨어졌다.

"직접 만든 거야?"

"응, 그렇지."

"귀엽네. 그런데 갑자기 웬 걱정 인형?"

"응, 친구한테 선물 받았는데 의미도 너무 좋고 귀엽더라고."

"이 얼굴은 뭐야?"

엄마가 만든 걱정 인형들에는 표정이 있었다. 바로 그 점에서 테루테루보즈와 조금 달랐다. 그런데 왜 웃고 있대? 걱정 인형이라면서 지나치게 행복한 표정인데. 직접 펜으로 그린 것인지 걱정 인형의 눈과 볼, 둥근 입을 그린 선이 삐뚤거렸다.

사뭇 진지한 표정으로 엄마는 말했다.

"소리 너의 걱정을 얘가 다 가져가 줄 거야. 힘든 일도 나쁜 일도. 이 인형을 갖고 다니면 모두 너를 비껴갈 거야. 그러니까 너는 행복하기만 하면 돼."

그 말을 듣고 다시 인형을 보니 좀 전과는 무언가 달라진 게 있어 보였다. 하지만 고작 이런 게 내 걱정을 가져간다고? 유치하다는 생각과 함께 웃음이 새어 나왔지만, 인형 몸통을 꽉 쥔 내 손은 도무지 인형을 놓을 생각이 없었다. 뭐랄까…… 자꾸 들여다보게 되는 이 얼굴. 그리고 정말로 나를 행복하게 해줄지도 모른다는 생각에 마음이 간질거렸다.

그날 나는 친구들에게 선물할 것까지 여러 개 챙겨 집에 돌아왔다. 엄마는 걱정 인형 만들기를 멈추지 않을 거라 했다. 더, 더 많이 만들어 사람들에게 나눠 줄 거라고. 그런데 받을 사람이 있을까? 묻는 엄마에게는 고개를 끄덕였다.

소호 언니의 시집 『홈 스위트 홈』 출간 기념 낭독회가 문학 살롱 <초고>에서 열리는 날이었다. 나는 친구 참새와 빨리 만나 인근 카페에서 시집을 읽고 이야기를 나누었고, 친구이자 낭독회 사회자인 연지가 오기 전까지 낭독회 현장을 세팅하는 것을 도왔다.

그리고 낭독회 전, 참새와 연지에게 걱정 인형을 하나씩 나누어 주었다. 낭독회를 성공적으로 마친 소호 언니에게도 축하의 기념으로 하나를 건넸다. 내 앞에서 바로 걱정 인형을 매다는 친구들을 바라보면서, 나는 엄마의 걱정 인형이 정말로 효과 있기를 바랐다. 우리에게 슬픈 일은 앞으로도 많을 테니까. 친구들의 웃는 얼굴을 더 많이 보고 싶었다.

이러한 인형이 실제로 날씨에 영향을 준다는 과학적 근거는 없지만, 동대문까지 가서 재료를 사고, 엄마가 직접 만든 이것을 보면 알 수 있다. 얼마나 많은 감정과 무수한 바람이 담겨 있는지. 아무 의미 없던 천 인형이었음에도 불구하고, 누군가 의미를 부여하기 시작해 정말로

의미가 생겨 버린 인형 같은 거.

이런 게 믿음이 아니라면 대체 무엇일까.

원한다. 가만히 서서 혹은 앉아서 빠져들 수 있는 무언가를. 그래서 나는 다음 달 내내 주말마다 인물 촬영을 하러 나가기로 했다. 야외에서도, 스튜디오에서도 다양한 작업을 할 수 있도록 장소와 시간을 적절히 조정해 두었다.

내일은 원고를 보내야겠다. 그런 다음 하루 종일 록 음악을 틀어 놓고 누워 있을 거다. 이마 위에 축축한 수건을 올려놓고. 최근 우산도 없이 비 맞으며 돌아다닌 탓에 감기 기운이 생겼다. 목도 꽤 잠겼다. 가끔 다른 사람이 나 대신 말하고 있는 기분. 이것이 하루 푹 쉰다고 나아지는 병이었으면 참 좋겠다고 바라는 중이다.

이건 조금 비밀스러운 이야기인데, 나는 요즘 눈물이 필요하다. 그래서 울 핑계를 찾아다닌다. 더 슬퍼지려고 한다. 몸이 가벼워질 때까지 모든 것을 짜내고 털어내고 싶다. 다들 그럴 때가 있지 않나. 아무리 슬픈 영화를 보아도 태연했던 적. 어느 상황에서도 눈물이 나오지 않는 것을 알아채고 당황했던 적. 혹은 어떠한 감정도 느껴지지 않아 꼭 죽은 사람이 된 기분이 들었던 적. '시인과 촌장'의 노랫말처럼, 지금 내 속에는 내가 너무도 많다. 어떻게 해야 여러 감정의 나에게서 벗어날 수 있을까? 나는 종일 고민하지만, 늘 대답을 얻지 못했고, 결국 가만히 몇 문장을 쓴다. 슬픔이 되고 싶어 안달이 된 말들을.

그리고 찍는다.
슬픔이 흐르는 얼굴을.

거울은 내 모습을 비추고

컵은 내 술과 갈증을 견딜 수 있다

바닥은 나를 쉬게 한다

내게 필요한 건 이것뿐

그냥 기본적인 것들만 있으면

당신은 나와 함께

있을 수 있다.

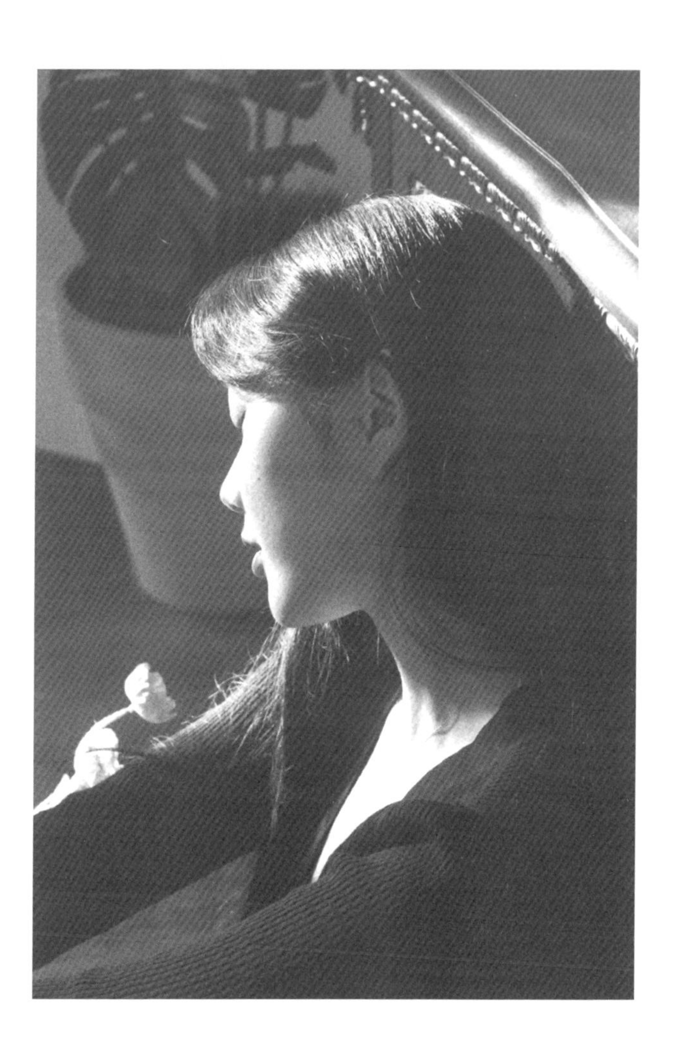

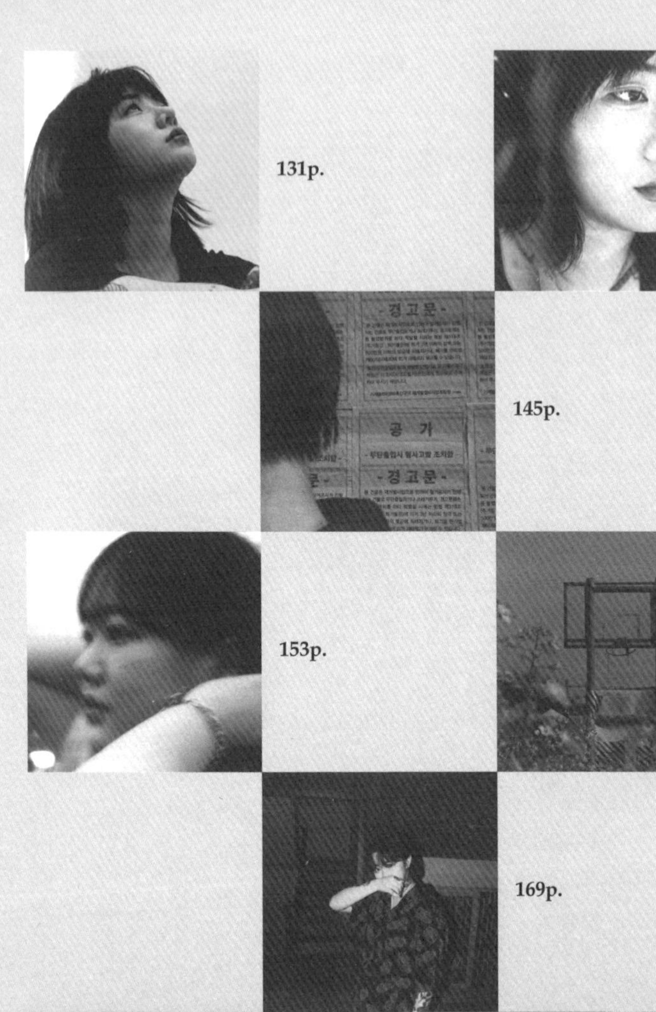

131p.

132p.

145p.

153p.

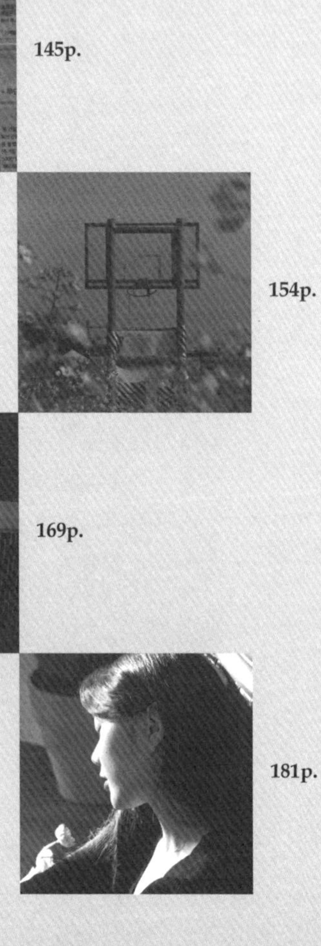

154p.

169p.

177p.

181p.

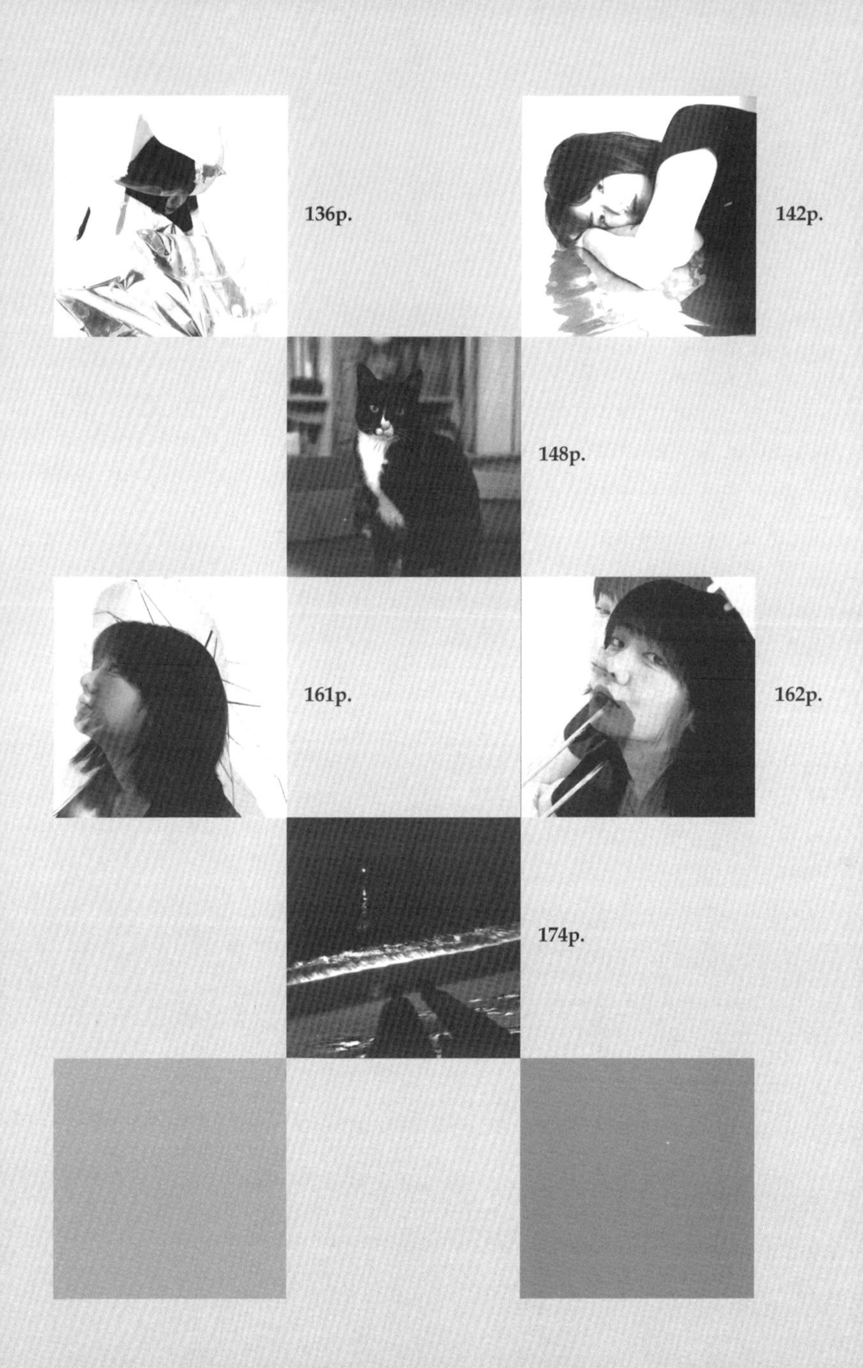
136p.
142p.
148p.
161p.
162p.
174p.

Solitude

김이인

퇴근 후에 사진을 찍고 글을 쓴다. 시간의 흐름 안에서
무의미하게 지나치는 것들로부터 의미를 찾아내는
작업을 하고 있다. 2019년에 등단했다.

고독이라는 말없음표와 몸이라는 한계

고독한 표정은 쉽게 드러나지 않는다. 감추는 표정이라 그렇다. 고독은 대로변에서 한 걸음 들어와 있는 곳, 후미진 곳, 인적 드문 곳, 자기만의 방, 내면에서 드러난다. 햇빛 쏟아지는 거리의 뒷골목에서 쉽게 만날 수 있다는 뜻도 된다. 고독은 눈에 띄지 않으면서 실제로는 공기 중에 떠다니는 아황산가스와 같다. 멀리서, 길 건너편이나 모니터 저편에서, 혹은 시간차를 반영하는 타임 랩스 안에서 등 돌리고 앉아 있는 어떤 이를 발견한다. 그가 다루고 있는 표정이 고독한 표정이다. 자신은 마주하고 타인은 짐작하는 것. 그것은 알려질까 봐 두려운 표정은 아니다. 다만 설명하고 싶지 않아서 멀리 떨어져 있는 것이다. 그래서 고독은 말과 연관되어 있다. 고독이 비교적 쉽게 마주 대할 수 있는 동질의 고독은 서로를 이해했다는 표식으로 말없음표를 주고받는다. 고독이 부유하는 공간은 무음이고 아무런 발화 없이 지속하기를 원한다. 치유와 안정, 기다림과 받아들임이 이 공간에서 자생하는 힘이다. 그것이 벗어나야 할 상태라는 인식은 한쪽 면만 바라보는 데서 기인하는 것이다.

인간은 몸이라는 한계로 구별된 개별자다. 몸과 몸이 물리적으로 융합하여 둘 이상의 개인이 하나가 되는 사건은 일어나지 않는다. 남녀 간의 결합도 일시적일 뿐이다. 마음이 애써 연결해 놓으면 몸이 다시 분리를 촉발한다. 개별성을 기본값으로 태어난 인간이 혼자라는 인식에 빠져드는 것은 당연하다. 때문에 고독은 배척해야 할 감정이 아니라 인지해야 할 상태다. 고독을 자연스럽게 받아들일 수 없을 때 인간은 혼란에 빠진다. 외부 요인에 의해 강제당한 경우 혹은 내부 요인으로 통제 불가해질 때 고독은 호의적인 공간이 아니라 낭떠러지가 된다. 고독감을 주체적으로 조절하고 수용하지 못하면 끊임없는 불안에 노출된다. 세계와의 접속 실패. 외따로 떨어져 있는 몸과 이어지고자 하는 마음의 각기 다른 사정. 자아를 넘어서는 요인들로부터 자유롭고자 하는 투쟁. 이들이 서로 다른 고독의 표정을 만들어 낸다.

완전한 상태로의 초대

몇 번 그것을 살아 있는 느낌이라고 쓴 적이 있지만, 정확한 표현인지는 모르겠다. 가을 아침처럼 하늘이 높고 청명한 날 집을 나설 때, 빛이 살짝 들어와 있는 계단이나 현관에서 머리카락 사이로 불어오는 바람을 맞을 때, 그 느낌이 온다. 그건 자유, 충만, 이보다 좋을 수 없음, 무엇도 결여되지 않은 상태, 우주 혹은 영원과 닿아 있음, 언어로 표현할 수도 없고 몸을 배제하고 설명할 수도 없는 총체적인 느낌이다. 그런데 이 기분, 이 감정, 이 깨달음은 불수의적이다. 이 영역에 내 마음대로 발을 집어넣을 수 없다. 그것이 나를 왜, 언제 초대하는지도 모른다. 내가 할 수 있는 일은 그것이 오면 즐겁게 반기고 그것이 가면 다시 차분해지는 것뿐이다. 오랫동안 나는 간헐적으로 오는 이 상태, 형식도 이유도 없이 왔다가 가버리는 이 상태를 붙잡아 보려고 고민했었다. 이것은 내게 없던 것이 아니며 내가 아닌 것이 아니며 내 안에 분명 존재하는 것이므로 뜬구름 잡는 일도, 내 것이 아닌 것을 탐하는 일도 아니다. 그런데 아무런 근거도 해답도 도출되지 않았음에도 이 상태에 지속적으로 남아 있기 위한 갈망이 나를 끊임없이 혼자이게 만든다. 나아가 보다 인간적이고 합리적인 결혼 제도에 관해 생각하게 하고, 아이를 낳고 기르는 일, 인류를 유지하는 일, 어떤 방향성을 지닌 자연의 힘에 관해 생각하게 한다. 이 사회에 뛰어들어 본연의 역할을 맡고 이름을 알리는 일, 타인에게 인정받는 일의 의미와 무의미에 관해 생각하게 한다. 회의 끝에 나는 이 모든 결계를 끊고 자유로워지는 일이 궁극의 해답이라는 하나의 결론과 그건 말도 안 되며 나는 지금 병들어 있고 의식이 시키는 대로 하면 인생을 수습하지 못할 거라는 다른 하나의 결론에 도달한다. 언제부턴가 나는 이 둘 사이를 오가며 끊임없이 분열하는 상태에 있다. 평정 안에 장력이 가해지고, 팽팽한 장력 안에서 끊어지지 않는 평정을 찾는다. 이걸 뭐라 해야 할까. 이 상태로 살고는 있지만 몸은 점점 낡아 가고 두 가지 일을 한 번에 할 수 없게 되고 티브이 리모컨으로 에어컨을 켜려 하거나 커피를 사러 가서 무심코 빵 쟁반을 집어 든다. 생각해 보면 인간의 일생이란 티끌보다 작은 에피소드에 지나지 않는다. 이 혼란, 이 분투, 이 드라마, 이들 모두가 하나의 슬픔으로 응축되어 어느 아침 땅에 떨어져 흙으로 스며들 것이다. 그리고 어쩌면 마지막 순간까지도 완전한 상태에 대한 감각은 불쑥 찾아올 것이다. 내 의지와 내 생사와 무관하게 저 공중의 연속선상에서.

✦

그때 우리에겐 커피가 있었다. 우리는 인적이 드문 대로변 이쪽에서 저쪽으로 건너갔다. 양쪽으로 늘어선 건물들 사이의 빈 도로는 우리를 재난 끝에 살아남은 지친 사람들로 보이게 했다. 두리번거리지도 돌아보지도 않고 고립되어 있음을 받아들이는 인간처럼 말없이 걸었다. 때때로 비가 왔고 강풍이 불었다. 그럴 때 우리는 집 밖으로 나가지 않았다. 낡은 소파에 앉아 길옆에 주차된 차들과 잿빛으로 젖어 가는 건너편 건물들을 바라보았다. 일몰들. 저녁들. 도시를 거대한 공동으로 변화시키는 어둠이 내린 다음에 우리는 손을 잡고 밖으로 나왔다. 그럴 때 우리에게 필요한 건 차갑거나 따뜻한 커피였다. 아직 태양의 활기가 거리를 메울 때 사람들로 붐볐을 길 끝의 카페에 들어가서 커피를 주문했다. 창가에 앉아서 책을 읽거나 글을 썼다. 문득 고개를 들어 시선을 어느 한 점에 사로잡힌 채 잠깐 동안 영원에 들기도 했다. 그런 생활이 반복되었다. 최대한 눈에 띄지 않게, 최소한의 반경과 최소한의 소비로 그렇게 한철을 보냈다. 그것이 그 도시의 고독에 익숙해지는 방식이었다.

Ennui of Meursault

손님들이 모두 돌아가고 영업이 끝난 시간에 간혹 그와 둘이 남아 있을 때가 있다. 그는 자주 산미구엘을, 가끔은 호가든을 마시며 카멜이나 말보로를, 가끔은 지탄을 피운다. 한 번은 그에게 산미구엘이 왜 좋냐고 물었더니 병의 디자인이 좋다고 대답한다. 그냥 디자인이 좋아서 마시는 것일 뿐 아무 이유도 없다, 라고 하지만 그가 좋아하는 방콕 또는 인도 남부에서 마셨던 싸구려 맥주와 그 열기의 기억 때문은 아닐까 생각한다. 술도 담배도 그다지 좋아하지 않는 나는 간혹 기네스나 호가든 같은, 딴에는 호사스럽게 생각되는 맥주를 작은 잔에 따라 마시곤 하는데 역시 맥주는 맛보다는 질감으로 마셔야 된다는 생각이다. 우리는 매번 똑같은 이야기를 매번 다르게 할 줄 아는 재주를 갖고 있다. 매번 그 나물에 그 밥, 똑같은 문제에 똑같은 결론이면서도 이번만은 뭔가 색다른 결론을 도출할 듯 제법 진지해지곤 한다.

하루는 그가 어디서 술을 많이 마시고 늦게 찾아온 날인데, 피곤했는지 소파에 기대어 잠들어 있었다. 택시를 타고 돌아간다고 했던 그를 깨울까 잠깐 생각하다가 마침 가지고 있던 카메라를 꺼내어 잠든 피아니스트의 사진을 찍어 두었다. 언젠가 그에게 물었다. 어느 일요일이었고 시간은 오후 네 시가 되어 가고 있었다. 세상이 너무 아름다워서 슬프죠, 라고. 소설 속에나 나올 법한 대사를 진심으로. 세상이 너무 아름다워서 슬픈데 그 사실을 누군가에게는 전달해야 할 거 같아서 물었다. 그리고 그 역시 그러하리라고 예상했던 답이 돌아왔다. 그렇다. 세상은 너무 아름다워서, 슬프다. 그때 아름다움과 슬픔 사이의 무한한 공백을 그와 나는 이해했다. 어떤 설명이 필요한 간극을 메꿔 주는 감정적 경험치가 그 시간과 공간에 존재했다.

우리는 그 자리에 앉아서 한 시간 정도를 더 이야기했다. 시간은 다섯 시가 넘어가고 있었고 나는 해가 지기 전에 한 시간 남짓의 거리를 운전해서 가야 했다. 그보다, 어딘가를 가지 않으면 견딜 수 없을 것 같았다. 그 일요일 오후 네 시에서 다섯 시 사이의 어느 지점. 평소보다 차분했던 그의 말이 내 마음 어딘가에 닿아서 눈물이 고이게 했다. 잠깐이었고 고개를 숙였으므로 그는 알지 못했겠지만 오랜만에 누군가에게 온전한 이해를 받은 것 같았다.

혼자 있을 때 다른 누군가에 대하여 곧잘 생각하는 편이다. 사람에게 관심이 없다고는 하지만 사실은 우리 중에 누구보다 사람들에게 관심이 많다고, 가끔 나에 관한 새로운 사실을 알려 주는 이도 그다. 과연 그럴까 싶지만 나와 비슷하게 느껴지는 사람들에게는 저절로 관심이 가는 게 신의 섭리가 아닐까. 물론 신의 섭리에도 룰은 있다. 어디까지나 혼자, 대상에서 한 발짝 떨어져서 생각해야 한다. 그리고 문득 이런 생각이 든다. 그가 죽으면 장례식장은 그의 죽음을 슬퍼하는 사람들로 가득할 것이다. 그러나 그들 대부분은 살아 있을 때 그를 이용하기만 했던 사람들일 것이다.

예민한 감각은 상처를 키운다. 예민한 감각이 선(善)의 문제나 미적 감수성에 뿌리를 내리고 있다면 더욱 그러하다. 타인에게서 자신의 기저를 보게 된 사람은 어떤 방식으로든 자신과의 거리를 좁히지 못하면 타인과의 관계도 긍정적일 수 없다. 이 문제에 관하여 나는 한 가지 경험하지 못함에서 오는 막연한 희망이 있다. 그에게 묻는다. 나이를 먹으면 좀 낫나요? 말하자면 시간이 해결해주느냐의 문제. 그의 대답이 긍정적이었는지 부정적이었는지 기억나지 않는다. 타인의 관점에서라면 나는 그에게서 희망을 본다. 그 희망이 내 자신을 포함시키는지 아닌지는 시간이 지나 봐야 알겠다. 얼마 전까지 인간은 성장하지 않는다고 생각했는데 지금은 조금 달라졌다. 인간은 놀랍게도 아주 조금씩 성장하고 있다. 그 성장의 결과와는 관계없이 자체로 기분 좋은 발견이다.

NEIG
HBOR
HOOD

사랑이 가져오는 고독

사랑은 당사자들을 독점적인 원 안에 배치시킨다. 그들은 원 안팎에서 생활하지만, 서로를 원 안으로 끌어당기는 힘은 늘 작동한다. 원심력이 느슨해지거나 원의 경계가 흐려질 때 그들은 불안을 감지한다. 불안이 짙어질수록 내면은 끝없이 어두워지고 질문은 늘어난다. 사랑이 희미해질수록 고독감은 뚜렷해진다. 원의 잔상까지 완전히 사라진 뒤에야 그들은 가까스로 고독에서 빠져나온다.

사랑은 그 대상을 여타의 다른 대상으로부터 분리시켜 독보적인 것으로 만든다. 사랑은 의미를 만들어 내는 가장 직접적인 방법이다. 사랑에 중독되거나 사랑으로 회귀하려는 사람은 그 대상 외적인 것, 가능성 없는 것들을 무력화시키고 무의미하게 만든다. 지금 막 사랑에서 빠져나온 자가 바라보는 세상은 회색의 무가치한 세계다. 강렬한 사랑의 경험은 필연적으로 실연 증후를 가져온다. 사랑 편향의 인간은 사랑하려는 의지의 반대급부로서 그와 동등하거나 그것을 뛰어넘는 탈출 의지를 지니고 있지 않으면 사랑이라는 파리지옥에 들러붙어 몰락하는 수순을 피하기 어렵다. 이것이 사랑향 인간이 가진 근원적인 불안이다. 빠지면 헤어 나오기 힘들고 빠지지 않으면 무가치해 보이는 세계. 사랑 감수성이 없으면 이해하기 어려운 기제이고 무엇이 좋은지는 알 수 없다. 다만 운명일 뿐.

미셸 공드리의 고독

우리는 그게 잘되지 않는다. 모르는 사람과 말의 물꼬를 트는 일. 영화 <이터널 선샤인>이 좋았던 이유는 처음 만난 주인공들이 자연스럽게 말을 걸고 서로 좋아하게 되는 도입부 때문이다. 그런 일은 좀처럼 일어나지 않기 때문이다. 그럼 아직 뭔가를 기대하고 있다는 뜻인가. 출근길의 땡땡이, 독백, 어딘가로 훌쩍 떠나는 여행, 텅 빈 기차간, 모르는 사람과의 인사, 내성적인 사람이 가진 천진함, 어색함과 친밀함, 겨울 바다, 인적 없는 백사장, 얼어붙은 강, 밤하늘의 별, 연결되어 있다는 믿음, 세련되지 않은 옷차림과 창으로 쏟아지는 역광, 묵직하고 차분한 색감 등 무의식 중에 바라보게 되는 것들로 가득한 도입부. 그 이후는 마치 의무감처럼 이어지는 드라마, 반전, 메시지다. 사랑이 끝난 후, 실연의 단락은 삭제하고, 다음 사랑으로 이어지는 연속적인 사랑의 상태가 계속되길 바라는 것. 이것은 하나의 함축적인 꿈이고 우리가 진정으로 원하는 것은 꿈의 연결이며 꿈에서 깨어나지 않는 상태에 돌입하는 것이 아닐까. 아(我)와 비아(非我)의 투쟁을 끝내고 세계와 영원히 합일하는 상태, 자아와 우주가 이물감 없이 한데 섞이는 것. 태어남을 영속성의 일부로 받아들이는 것. 죽음은 잠드는 것—아마도 꿈과 같은 것이라는 노랫말처럼.

결별 이후의 삶

이런 삶을 생각한다. 몰락 아니, 결별 이후의 삶, 고의로 생각한다. 밤거리를 혼자, 걷는다. 지칠 때까지, 회현이나 서소문, 소공동, 언젠가 걸었던 익숙한 곳들, 걷는다. 인적은 드물고, 쇼핑백을 든 한 무리의 관광객들도 사라지고, 행인들의 흔적만 남은, 빌딩과 빌딩 사이, 점심시간이면 직장인들이 몰리는 골목에 서서, 이제는 저곳에 속해 있지 않지, 이해하듯이, 잊고 있던 일을 떠올리듯이, 되뇌인다. 두 손은 주머니에 찌르고, 날은 으레 추울 것이고, 눈에 띄지 않는 무채색 잠바에, 머리는 길고 눈은 퀭해, 지나가는 행인이 꼭짓점으로 돌아갈 만한 행색으로, 지칠 때까지 걷다가, 돌아온다. 불은 꺼져 있고, 노모는 잠들어 있는 집으로, 문을 열면, 어디를 이렇게 늦게 다녀오니, 낮은 목소리, 물 한 잔, 방에는 이제 읽지 않는 책들, 지혜와 허튼소리들, 노트북에서 음악이 흘러나오게 두고, 잠이 올 때까지, 점차 의식을 잃을 때까지, 듣는다. 이런 생활을, 죽을 때까지 계속한다. 매일 최소한의 돈만 지니고, 돈이 떨어질 때까지 걷는다. 지나가는 사람들을 바라보고, 그늘에 앉아 있다가, 햇빛 쪽으로 움직였다가, 목적 없이 생각나는 대로, 의미 없이 걷는다. 바람이 불고 낙엽이 지고, 차들이 지나가고 계절이 바뀌면, 구름처럼 다시, 풍경을 읽고 볕을 쬐고, 그러다가 머리가 하얗게 되면, 하얗게 된 채로, 걷는다. 도시를 떠나지 않는 이유는, 아무것도 하지 않기 위해, 내가 책임져야 할 것들과, 나를 책임져야 할 것들을, 만들지 않기 위해. 한때는 있었으나, 어디로 갔는지 모를, 흩어진 기억들과 함께, 비등점을 지나 끓어오르는, 도시의 주변에서, 이제는 나와, 불 꺼진 마루와, 마룻바닥에 잠든 노모가 있는, 먼 곳으로 떠나도, 다시 돌아올 것 같은, 오래된 기억 속의 그 집. 누군가 간다는 곳

이 고작, 그곳이었냐고 물어 보면, 그래, 그곳뿐이었다
말한다.

이미지 안의 영혼

이미지 안에 영혼이 남아 있다. 어떤 사진에는 사진을 찍을 당시의 감정이 고스란히 남아 있다. 그것은 이미지와 함께 사라졌다가 이미지와 함께 불려 나온다. 그 시간의 온도, 빛의 세기, 거리의 분위기 등이 이미지에 박제되어 있다가 온전한 형태로 복원된다. 영혼의 가장 강력한 복원사는 자의식이다. 고독하고, 침잠하고, 춥고 나른하고, 사랑에 빠져 있거나 화가 나 있는 자의식이 영혼을 채색한다. 처음 걷는 골목길, 벽의 질감, 담장의 모양, 길의 경사도에 자의식이 투영된다. 간혹 그들 사이에 사람이 배치되기도 한다. 배후에 석양을 드리운 그림자가 파인더 바깥에 남는다. 전신주들이 지평선으로 소실되어

가는 걸 보면서 그가 웃는다. 말 사이에 상처의 흔적이 드러나곤 했던 사람이다. 어떤 이미지, 사진이든 영상이든 글이든 조형물이든, 거기에는 관련된 영혼들이 녹아 있다. 산에서 귀신의 눈동자를 담아 온 화가처럼 우리는 모르는 사이에 영혼의 눈동자와 마주친다. 울림이나 감동은 그들을 느끼는 순간에 발생하는 에너지 작용일 수도 있다.

이해받지 못한 이의 표정

감도 1600 컬러 필름을 장착하고 거리를 나섰다. 한밤의 도시는 그야말로 거대한 공동이었다. 종각 뒤편의 흥청망청한 거리에는 술 취한 행인들이 주저앉아 있었다. 일인용 캐리어를 곁에 둔 여자가 망연자실한 표정으로 거리를 바라보고 있었다. 그곳으로부터 불과 오십 미터도 떨어지지 않은 청계천변은 한낮의 열기를 짐작할 수 없을 정도로 고요했다. 미래에셋빌딩 입구에는 한쪽으로 밀어 놓은 책걸상들이 쌓여 있었는데 가장 앞쪽의 걸상을 빼서 노숙인 둘이 술잔을 기울이고 있었다. 그 앞 공원에는 한 청년이 고개를 숙이고 핸드폰을 들여다보고 있었다. 벤치에는 날개를 접은 까마귀처럼 검은 그림자들이 듬성듬성 잠들어 있었고 거리에는 언쟁하는 이들이 있었다. 새벽의 거리는 그 특성상 언쟁의 양상을 속속들이 보여 준다. 영풍문고 후문 쪽 횡단보도 건너편에서도 싸우는 소리가 들렸다. 한 가족이었는데 어른 하나 아이 넷, 그중 한 아이가 속이 상했는지 성질을 부렸다. 엄마도 지지 않고 한 소리 했지만 아이에게 떳떳하지 못한 눈치였다. 속이 상한 여자아이는 가족 중에서 이상하리만치 키가 크고 멀리서 봐도 눈에 띄는 외모를 지녔다. 이 아이는 가족 안에 자신의 위치를 뿌리내리는 데 실패한 듯 보였다. 그것은 이해받지 못한 이의 표정이었다. 해결하지 않고 덮어 둔 문제가 한여름 밤의 열기처럼 지표면으로 분출된 듯 보였다. 교보빌딩 옆 청진동 식당가 골목을 들여다보다가 쭈그리고 앉아서 담배를 피우고 있는 여자의 뒷모습과 마주쳤다. 길고 거친 단발과 티셔츠 위로 어깨뼈의 윤곽이 고스란히 드러난 중년 여자의 뒷모습은 사람을 움찔하게 만드는 데가 있었다. 그 계통의 남자가 주는 느낌과도 달랐다. 그가 돌아볼까 봐 더는 들어가지 못하고 걸음을 돌렸다. 그것은 깊이 들여다보고 싶지 않은, 감당하기 어려운 것이었다. 광화문 광장 천막 안에는 한 청년이 잠을 이기지 못하고 의자에 앉아 곯아 떨어져 있었다. 24시간 영업하는 할리스 빌딩, 한밤중에 깨어 있는 사람들을 둘러볼까 하다가 그들 사이에서 한 시간을 앉아 있었다. 사람들은 어디서든 뭔가를 한다. 혼자 있든, 누군가와 같이 있든, 기억할 만한 것이든 아니든. 필름 카운터는 37, 아직 감기지 않았다. 새벽 세 시가 가까워 오는 시간에 길에 나와 지나가는 택시를 잡아탔다. 한 손으로는 연신 짱구를 집어 먹으며 액셀을 밟던, 짱구가 없으면 안 될 거 같았던 중년 남자의 택시를 타고.

✦

그는 가끔씩 없음, 무(無)에 관해 생각한다. 무, 검은 공간을 낙하하는 의식. 죽음 뒤의 삶과 삶 이전의 죽음. 이런 것을 떠올리면 이 세계가 굉장히 낯설고 이상하게 느껴진다. 불쾌하고 불안한 사물들. 이해 너머의 삶들. 불현듯 이런 혼란 속으로 떨어진다는 사실 때문에 그는 경제 활동을 제대로 할 수 없다. 인간관계도 이어 가기 어렵다. 몸을 갖고 있으면서 그 바깥을 생각하는 데서 오는 부작용이다. 몸에 구속된 처지에 몸의 너머를 생각하면 연산에 오류가 생긴다. 저 의무감이나 그럼에도 불구하고 해야 한다는 강박은 도태되지 않으려는 본능의 소산이다. 쓰러지고 싶지는 않은 것. 죽음의 나락 이전에 생존의 나락으로 떨어지기는 싫은 것이다. 그러니까 자꾸 바깥으로 탈출하려다가 안으로 붙잡혀 들어온다. 결국 반복, 해묵은 이야기.

Awakening

어떤 밤이었다. 한쪽 손에 카메라를 들고 광화문 사거리를 건너는데 대로변에 사십 대로 보이는 취객이 고개를 숙이고 앉아 있었다. 무릎 앞으로 차들이 지나갔는데 마침 우회전 도로라 이 사람이 혹여나 길가로 쓰러지기라도 하면 차가 그를 치고 지나갈 수도 있을 것 같았다. 그를 깨워서 뒤쪽 건물 모퉁이로 데려가 앉혔다. 다시 도로변으로 나갈 거 같지는 않았고 거기 앉아서 자다가 스르륵 일어나 집으로 갔겠지. 밤에 도시를 걷다 보면 엉망으로 취한 사람들을 자주 목격한다. 그들 대부분은 멀쩡한 사람들로, 돌아갈 곳이 있어 보이지만 드물게 술이 아니라 절망에 절여진 듯한 사람들도 있다. 그들은 밤과 후미진 길과 도시의 속도감에 섞여 그야말로 처절한 몸짓을 보인다. 사진 속 남자는 내가 스냅을 찍을 때까지만 해도 그런 이는 아니었다. 난 가능하면 피사체의 시공간에 진입하지 않으려고 처음부터 없었던 사람처럼 찍고 그 장면을 지나가곤 한다. 여느 때처럼 사진기를 들고 있던 손을 올려 파인더를 보지 않고 각도만 맞춰서 찍고 지나갔다. 스캔본을 받아 들고서야 나는 그의 모습이 절망적이라는 걸 알았다. 그는 깨어나고 있다기보다 언제까지나 가라앉을 것처럼 보였다. 하지만 나는 이 사진에 Awakening이라는 제목을 붙였다. 그때는 여름이었지만 한겨울과 다르지 않은 것처럼, 저곳에서 정신을 잃은 사람에게 다가가서 아저씨, 여기서 이러고 있으면 죽어요. 일어나요 아저씨. 누군가 어깨를 세차게 흔들어 깨우고, 그 소리가 꿈에서처럼 들려온다. 아저씨 일어나요. 일어나요.

아무 날의 도시*

저 흘러가는 많은 사람들이 일상의 작은 일들을 이야기한다. 어제 무슨 일이 있었는지 너는 말하고 있었지. 나는 듣고 있었다. 길이 꺾이고 회색 코트의 남자가 우리를 앞서간다. 긴 목도리를 날리며 빠른 걸음으로 다가오는 여자의 얼음장 같은 볼을 스치는 바람. 일상사의 무한한 증식과 폭넓은 관심사를 위해 재기 발랄한 꿈을 꾸는 사람들의 보폭이 커진다. 사소한 호기심이 내일을 살게 할 거야. 나는 계속 듣고 있었지. 어제 네가 우울했던 이유를. 옷가게를 지나 분식집을 지나 지하보도를 건너 가

* 신용목, 시집 『아무 날의 도시』에서 인용.

판대 옆에 서서 전화기를 붙잡고 있는 저 남자처럼, 내 이야기를 들어 줘. 서점과 은행과 술집을 지나서야 난 깨달았다. 오늘은 할 일이 없었지. 내일도 할 일이 없다. 언제는 할 일이 있었나. 하고 싶은 일이 있었나. 이봐, 내 얘기 듣고 있는 거야. 그래, 나는 결국 해야 할 일이나 하고 싶은 일을 가지지 못했다. 저 많은 사람들이 버스를 오르내리고 어디론가 바쁘게 가고 그런 일들이 내게는 별세계다. 수많은 빌딩들 속에서 뒤적거려지는 서류 더미와 밀린 결재들이 나와는 멀다. 명동을 지나 덕수궁을 지나 시청 앞길을 걸으며. 그 여자가 나를 어떻게 생각할 것 같아. 잘 모르겠는 걸. 잘 모른다. 내가 알고 싶었던 것들은 이미 오래전에 알았고 원하지는 않았지만 꼭 기억할 필요도 없었으므로 잊었다. 난 모르고, 확실히 어둡다. 아는 것이라곤 세상의 오늘 같은 날 오늘같이 너를 만나서, 명동에서 종로로 종로에서 남대문으로 한나절을 담담하게 쏘다니며, 사람들이 늘 하는 똑같은 이야기를 내 친구인 너에게 듣는 날. 그리고 미래의 어느 날 비가 쏟아지거나 눈이 펑펑 내리는 날. 만나자는 이, 만나고 싶은 이 아무도 없는 날. 너의 이야기와 그 배경에 있던 거리들을 떠올리며, 이불 속으로 기어 들어가 혼자 웃다가 쓸쓸해하다가 다시 깨어날 때까지 잠들 것이다. 어느 날 명동을 지나 시청 앞을 걷던 내게 이런 이야기가 있었지 하면서.

정지해 있던 이의 옆얼굴

동묘에서 한 남자의 사진을 찍었다. 그는 짙은 회색 롱 패딩에 후드를 쓰고 있었다. 팔은 차려 자세로 내려와 있었고 손은 소매 안에 들어가 있었다. 바지는 위장 무늬의 미군 전투복에 신발은 낡은 운동화, 시선은 전방을 주시하고 있었다. 남자가 서 있는 공원 입구 기둥 뒤에 배가 볼록 튀어나온 허름한 남색 천 가방이 놓여 있었다. 남자는 무언가를 보고 있었지만 시끌벅적한 사람들 속에서 무얼 바라보는지 알 수 없었다. 헛것에 사로잡혀 무한대에 닿아 있는 시선으로 보였다.

내가 찍은 건 그의 얼굴 표정이 살짝 비치는 뒷모습

이었다. 그를 찍은 사진에서 나는 다음과 같은 사실을 알 수 있었다. 그는 사회의 낮은 계층에 속했고 비주류였고 바라보는 모양이 어딘가 이상해 보였고 그래서 그를 둘러싼 장면이 고독감과 이상함과 호기심을 동시에 불러일으켰다는 것. 그 많은 사람들 속에 서 있던 그를 그 많은 사람들 속에 서 있던 내가 발견해서 나로부터 그에게 한 번, 그로부터 그가 바라보는 한 점에 두 번, 이렇게 두 번의 직선이 그어졌다는 것.

나는 왜 이 사진을 찍었고 이 사진은 왜 나인지, 나는 왜 앞으로도 그럴 확률이 높은지, 이 사진은 어째서 누군가에게는 좋고 누군가에게는 감흥 없는지, 그런 건 어째서 타당한지 설명할 수 있다. 작가가 유복한 환경에서 사랑받고 자랐는지의 문제, 작가의 성향이 진취적이거나 긍정적인가 하는 문제, 작가의 태도가 주류 지향적인가 그 반대인가의 문제, 어떤 사물을 바라보는 시선은 타고나는 것인지 만들어지는 것인지, 예술에 있어서 초월적 시선과 병리적 시선의 함수 관계 등등 고찰해 볼 문제들과 함께.

덧붙이면 어떤 표정에는 자조가 섞여 있는 걸 느낀다. 울지도 웃지도 못하는 심정, 허탈한 웃음이 나오는 상태, 스스로 웃음거리가 되려는 기분, 답을 구하였으나 답이 없다는 대답이 돌아왔을 때의 막연한 감정이 들어 있다.

고독 속에서 과거로 돌아가는 일에 관하여

인간은 미래의 한 점을 지정할 수 없다. 미래는 광막한 불가지의 것, 임의로 조정할 수 없는 무변의 영역이라는 생각이 두려움까지 조장한다. 그에 비해 과거는 손쉽게 한 점을 찍어 단숨에 도달할 수 있다. 과거는 나의 것, 미래는 내 것이 아닌 것이다. 막연한 불안의 형태로 다가오는 미래를 바라보고 있느니 과거의 시간을 필연적이고 유의미한 형태로 재구성해 인과에 삽입시키는 것은 현실 상황이 녹록치 않은 주체가 택할 수 있는 합리적인 태도다. 어떤 이들은 이것을 퇴행이라고 부른다. 퇴행은 일면 뒷걸음질 치는 구조로, 삶에 아무런 도움이 되지 않는 것처럼 보이지만 사실은 그 안에서 마음의 평화와 행복을 찾게 됨으로써 계속해서 삶을 밀고 나갈 수 있는 힘과 위안을 얻는다. 문제는 퇴행 자체에 있는 것이 아니라 퇴행으로부터 아무것도 건져 올릴 수 없을 때, 퇴로가 끊긴 상황에 있다. 미래는 아무리 들여다봐도 암담할 뿐이고 과거는 아무리 돌아봐도 긍정할 만한 서사가 없다면, 플롯을 이어갈수록 파국으로 치닫게 하는 기억은 결국 생을 부정하게 만든다. 이러한 문제는 일부의 사소한 운명으로 치부하기에는 너무나 일반적이고, 그것이 한 인간의 끝에 관여한다는 사실은 그냥 지나치기 어려운 장애물로 남는다.

✦

그는 도시 안에 들어와 있음을 느꼈다. 정확히 말하면 담겨 있음을. 누군가 그를 집어 올려 도시에 담았거나 그의 둘레를 따라 도시의 벽이 높게 올라간 것이다. 그는 아늑했고 편안했다. 하지만 사람들이 다가오면 그는 불편해했다. 그들과 대화하기를 꺼렸고 단지 멀리서 지켜보기만을 원했다. 도시의 하천을 따라 걸으면서 그는 그것이 서로의 영역을 지키려는 사바나의 질서 같다고 생각했다. 그에게 타인은 동물적 경쟁 대상이었다. 평시의 안위와 연민은 판단에서 배제되었다. 위기 상황에 인간은 언제나 비정한 동물이었고 도시는 품 안에 위기를 숨기고 있음을 그는 잘 알고 있었다. 그러나 동시에 편안함을 느끼는 이유도 있었다. 그가 불편해 마지않았던 타인들이 군중을 이루면서 그는 익명성을 보장받을 수 있었다. 그것은 무리 지어 살아야 하는 운명들에 주어진 유일한 위안이었다. 드러나지 않는 존재, 그들 사이에서 사라져 가는 존재감으로 인해 발현된 자의식은 비로소 자신을 인식하도록 만들었다. 그는 자의식 안에서 도시를 바라보는 게 좋았다. 그가 그토록 유지하고자 했던 거리감, 그가 속한 세계로부터 멀리 떨어져 하나의 낱알로 부유하고 있다는 비현실감을 갖게 하는 거리감이었다. 거기에는 행복을 비하하거나 고통을 과장하지 않는 무중력 수용체가 있었다. 선악, 미추, 강약의 구분은 일시적인 것이었다. 그는 복잡하고 정밀하게 구축된 도시와, 모든 것을 한순간에 소멸시키는 무(無)의 심연을 동시에 들여다보고 있었다.

동쪽으로 난 창과 점멸하는 방

좀 더 열정적이었거나 부지런했더라면 출퇴근하면서 시야에 들어오는 장면들로만 한 롤은 찍었을 것 같다. 전에는 주머니에 카메라를 넣고 다닌 적도 있으니 그런 장면들을 만날 때마다 잠시 멈춰 서서 팔이나 다리 하나를 잃은 사람이 과거의 그것을 상기하듯이 오른쪽 혹은 왼쪽 주머니에 카메라가 있다고 생각한다. '지니고 있었다면 찍었을 것이다'라는 확신만으로 몇 장면을 지나가게 놓아준다. 그리고 방 안 어디엔가 다른 물건들과 뒤섞여 있을 카메라와 불 꺼진 방의 어둠에 관해 생각한다.

침대가 없는 방의 좋은 점은 언젠가 옮기거나 버려

야 할 부피와 면적, 질량을 소유하지 않은 일에 대한 흡족함을 제외하고도, 책을 읽다가 무심코 시선을 돌렸을 때 눈에 들어오는 바닥의 흠집, 규칙성을 찾을 수 없는 갖가지 모양의 홈들, 십 센티 정도 되어 보이는 무언가 길게 끌린 자국, 언제 만들어졌는지 모를 지워지지 않는 얼룩, 이런 것들에 눈길이 멈추거나 가까운 거리에서 자세를 바꾸지 않고 손을 내밀어 만져 보게 된다는 것이다. 그렇게 해서 얻어지는 게 무엇이냐고 물으면, 어제까지는 낯설었으나 지금은 낯설지 않은 미시 세계—이불이 깔려 있는 바닥—이라고 답한다.

동쪽으로 난 창에 관해서는 이런 대답을 들었다. 오후 네 시를 기점으로 점점 어두워지는 방 안에서 문득 고개를 들어 멀리, 몰라도 서너 개의 빌딩들이 들어설 만한 빈 공간을 가로지르는 거리에 일렬로 서 있는 빌딩들의 장벽을 볼 수 있다. 그들은 모두 서쪽을 향해 있고 그들의 벽면은 모두 따뜻한 노란 빛으로 채워지고 있으며, 빛을 받지 못하는 부분은 특유의 음영을 드러내며 견고한

미의 구조를 반복하고 있는데, 만약 어떤 사람이 저편에서 동쪽으로 난 창을 통해 그들을 바라본다면 단번에 이것이 선물임을 자각할 정도로 아름다운 것이어서, 그는 자신의 어두워져 가는 방을 침몰하는 방으로 여기는 게 아니라 의식의 저 밑바닥으로부터 부상하는 방으로, 다른 장면을 바라보는 방으로 바꾸게 되는 것이다.

그리고 이런 꿈을 꾼다. 잔잔한 바다, 혹은 축소된 어떤 세계를 가정하는 하나의 화면에, 바이탈 사인들이 녹색으로 점멸하고 있다. 그들은 느리고 안정적인 맥박으로 규칙적인 깜박임을 반복한다. 아무것도 없거나 떠올릴 수 없는 적막한 화면, 하지만 공포가 아닌 낙관을 품고 있는 어둠 속에 설문 조사 게시판 위의 점들처럼 비정형의 분포로 누군가 곁에 있음을 알리는 사인이다. 그러다가 어떤 급작스런 해일, 풍랑, 지각 변동 같은 격변이 내 위치를 이격, 강등, 전락시킨다. 정신을 차려 보니 내 바이탈 사인은 어느새 적색으로 바뀌어 있다. 다른 바이탈 사인은 보이지 않는다. 내가 있는 곳이 해저인지 사후

인지 분간할 수 없다. 가라앉고 있는지 부유하고 있는지도 알 수 없다. 그러다가 멀리서부터 점멸하는 녹색의 빛이 가까워 오는 것이 보인다. 대열을 이탈한 사람처럼 그는 단신이다. 그는 나를 찾고 있다. 그는 내가 아는 사람이다. 그는 누구일까. 이런 생각을 하다가 깨어난다. 새벽에.

189p.

194p.

204p.

207p.

211p.

221p.

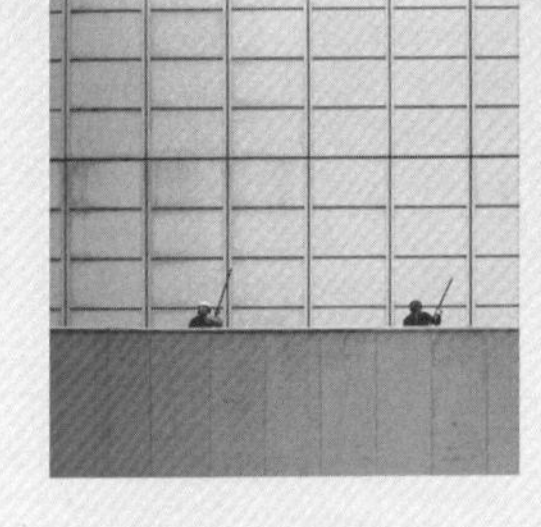

229p.

234p.

200p.

201p.

207p.

213p.

217p.

225p.

235p.

240p.

당신의 눈부심을 발견할게

1판 1쇄 2023년 7월 20일

지은이 이옥토, 강혜빈, 한소리, 김이인

펴낸곳 타이피스트
펴낸이 박은정

편집 박은정
디자인 양희재

출판등록 제2022-000083호
전자우편 typistpress22@gmail.com

ISBN 979-11-981886-1-8

* 책값은 뒤표지에 있습니다.
* 파본은 구입처에서 교환해 드립니다.
